BILL KNOX

Whisky macht das Kraut nicht fett
LIFE BAIT

Kriminalroman

Deutsche
Erstveröffentlichung

Wilhelm Goldmann Verlag

Aus dem Englischen übertragen von
Christine Frauendorf-Mössel

Made in Germany · 5/80 · 1. Auflage · 1110
© der Originalausgabe 1978 by Bill Knox
© der deutschsprachigen Ausgabe 1980 by Wilhelm Goldmann Verlag, München
Umschlagentwurf: Atelier Adolf & Angelika Bachmann, München
Umschlagfoto: Richard Canntown, Stuttgart
Satz: IBV Lichtsatz KG, Berlin
Druck: Mohndruck Graphische Betriebe GmbH, Gütersloh
Krimi 4873
Lektorat: Helmut Putz / Peter Wilfert · Herstellung: Lothar Hofmann
ISBN 3-442-04873-7

Die Hauptpersonen

Colin Thane	Detective Superintendent; ihm gelingt ein großer Erfolg im Kampf gegen den Rauschgifthandel
Francey Dunbar	Sergeant; Thanes wichtigster Assistent bei diesem Einsatz
Angus Russel	Berufsfotograf, der nebenbei der Polizei zur Hand zu gehen weiß
Sean Russel	sein Sohn; gescheiterter Chemiestudent
Pete Stanson	harter junger Mann, der keine Möglichkeit, an Geld zu kommen, ausläßt
Robin Garrett	Whiskyfabrikant, der allzusehr vom Geld seiner Frau abhängig ist
Shug MacLean	Brennmeister auf Abwegen bei Garrett
Joan Harton	gutaussehende, jedoch undurchsichtige Angestellte Garretts
Frank Benodet	der große Gangster im Hintergrund, der allen anderen – aber auch sich selbst – zum Verderben wird

Der Roman spielt in und um Aviemore im Norden
Schottlands.

Vorspiel

Der Mann im eleganten dunkelblauen Anzug und mit den sanften braunen Augen saß allein an einem Ecktisch in der gut besuchten Hotelbar. Er sprach mit niemandem, trank mit sichtlichem Genuß seinen echten Gerstenmalzwhisky aus dem schottischen Hochland und wurde von den anderen kaum beachtet. Der Mann war seit ungefähr einer Stunde in der Bar und bereits bei seinem vierten Glas Whisky angelangt, wobei er jedesmal nach sorgfältiger Prüfung des Angebots an der Bar eine andere Marke bestellt hatte.

Ab und zu schweifte sein Blick über die Gäste an den umliegenden Tischen. Außer der Tatsache, daß einige die Uniform einer Fluggesellschaft trugen, interessierten ihn die Leute kaum. Sie erinnerten ihn lediglich daran, daß der Flugplatz nur wenige Auto-Minuten vom Hotel entfernt lag.

Morgen würde er zu Hause sein. Dort wartete das Geld, das er bei Ablieferung der Ware erhalten sollte. Was danach passierte, ging ihn nichts mehr an.

Der Fremde trank erneut einen Schluck Whisky. Es handelte sich diesmal um die Marke ›Auchentoshan‹, einen der vielen unvermischten Malzwhiskys aus dem Hochland, die er in den vergangenen Tagen entdeckt hatte. Der Genuß dieser Whiskysorten war mit das Beste, was man in Schottland erleben konnte. Falls er einmal wiederkommen sollte...

In diesem Moment flog die Tür auf und neue Gäste in Uniform strömten herein. Er spannte unwillkürlich die Muskeln, lehnte sich jedoch erleichtert auf seinem Stuhl zurück, als er erkannte, daß die Neuankömmlinge ebenfalls Angehörige einer Fluggesellschaft waren. Die drei Männer und zwei Stewardessen der Swissair gingen geradewegs zu dem Tisch der K. L. M.-Crew und setzten sich.

Eines der Mädchen war groß, schlank und rothaarig. Als sie sich von einem Mitglied der K. L. M.-Crew Feuer geben ließ, trafen sich die Blicke der beiden, aber sie schenkte ihm weiter keine Beachtung.

Der Mann im dunkelblauen Anzug seufzte leise. Die solide Unauffälligkeit seiner Erscheinung war sein bestes Betriebskapital.

Er wandte den Blick von der Rothaarigen ab, trank sein Glas aus und sah auf die Uhr. Es war spät geworden, und er mußte früh aufstehen, um am nächsten Morgen rechtzeitig zum Flugplatz zu kommen. Außerdem hatte er die Gewohnheit, vor dem Schlafengehen noch einen Spaziergang zu machen.

Schließlich stand er auf, nickte dem Barkeeper zum Abschied freundlich zu und ging. In der Hotelhalle blieb er einen Moment zögernd stehen und überlegte, ob er seinen Mantel aus dem Zimmer holen sollte. Dann trat er jedoch achselzuckend durch die Drehtür ins Freie.

Sein Atem bildete in der kühlen Nachtluft weiße Schwaden. Nach den vier Gläsern Whisky fühlte er sich wohlig warm und zufrieden. Als er das Ende der Hotelauffahrt erreicht hatte, bog er nach rechts in die Hauptstraße ein. Bei seiner Ankunft hatte er eine Brücke gesehen, die in der Nähe über den Fluß führte. Bis dorthin und zurück wollte er gehen.

Mit den Armen schlenkernd und eine Melodie vor sich hinsummend ging er am Straßenrand weiter. Ab und zu fuhr ein Wagen vorbei und tauchte ihn in das grelle Licht der Scheinwerfer. Dann sah er hinter einer Kurve im fahlen Mondlicht bereits die schwarze Silhouette der Brücke vor sich. Darunter glitzerten der Fluß und einige Positionslichter, die vermutlich zu einem kleinen Boot gehörten.

Das Boot interessierte ihn. Und da er annahm, daß er es von

der gegenüberliegenden Straßenseite aus besser sehen konnte, ließ er einen Lastwagen passieren und überquerte die Straße. Er hatte gerade die Straßenmitte erreicht, als er einen Wagen um die Kurve kommen hörte. Das Auto fuhr schnell, zu schnell, und er sah sich hastig um.

In den wenigen Sekunden, die dem Mann im dunkelblauen Anzug noch blieben, konnte er gerade noch erkennen, daß der Wagen schleuderte und geradewegs auf ihn zuraste.

Das letzte, was er außer den grellen Scheinwerfern sah, waren zwei weiße Gesichter hinter der Windschutzscheibe, die ihn wie hypnotisiert anstarrten. Dann wurde er vom Wagen erfaßt und durch die Luft geschleudert. Er schlug krachend auf das Autodach, bevor er auf die Straße zurückfiel.

Der Wagen schleuderte gefährlich, prallte gegen die Leitplanke, wobei das Glas eines Scheinwerfers zerbrach, und holperte über den Randstreifen. Irgendwie kam er dann auf die Straße zurück. Einen Moment lang sah es so aus, als würde das Auto anhalten, dann heulte jedoch der Motor auf, und die roten Rücklichter waren kurz darauf hinter der nächsten Kurve verschwunden.

Zwei Minuten später erschien ein anderer Wagen. Seine Scheinwerfer erfaßten die unnatürlich verrenkte Gestalt auf der Straße, und der Fahrer hielt an. Er trug einen Smoking, und seine Frau war im langen Abendkleid. Sie stiegen aus und stellten fest, daß der Mann in der Blutlache auf der Straße noch lebte.

Der Fahrer zögerte. Er dachte daran, wieviel er getrunken hatte, und daß er einen Alkoholtest nicht unbeschadet überstehen würde. Schließlich wies er seine Frau an, zu behaupten, sie hätte den Wagen gefahren, sah ein anderes Auto näherkommen und hielt es an. Es war ein Service-Wagen vom Flugplatz und hatte ein Funkgerät. Der Fahrer des Kleinbusses rief sofort die Polizei und den Krankenwagen.

Der Mann im blauen Anzug starb, als die Funkmeldung bestätigt wurde.

Drei Kilometer weiter kam ein beschädigter Wagen auf einem

Schuttabladeplatz vor einer Stadt zum Stehen.

Zwei fünfzehn Jahre alte Jungen stolperten heraus und rannten davon. Sie hatten den Wagen auf einem Parkplatz in der Stadt gestohlen, nachdem sie ihren letzten Bus verpaßt hatten.

Zwanzig Minuten später hatten sie ihre Straße erreicht. Sie waren noch viel zu schockiert und verängstigt um zu reden, und wurden in den folgenden Wochen jedesmal von blindem Entsetzen gepackt, wenn sie eine Polizeiuniform sahen.

Aber sie wurden nie gefaßt.

Kapitel
1

Es war Dienstag und ein typischer kalter und klarer schottischer Herbstmorgen. Auf den Dächern der kleinen Bungalows in der schmalen Vorortstraße lag Reif. Doch als er sich rasiert hatte und sich prüfend im Spiegel betrachtete, wußte Chefinspektor Colin Thane, Chef der Millside Division von der Glasgower Kriminalpolizei, daß das klamme Gefühl in Händen und Füßen nichts mit der kalten Witterung zu tun hatte.

Colin Thane hatte bei der Glasgower Polizei als einfacher Streifenpolizist angefangen und sich in verhältnismäßig kurzer Zeit durch harten persönlichen Einsatz zum Chefinspektor hochgearbeitet. Er war ein großer Mann mit grauen Augen, dichtem, schwarzem Haar und einem gutgeschnittenen, freundlichen Gesicht. Er hatte noch immer die muskulöse Figur des jugendlichen Amateurboxers, der er gewesen war. Seit damals hatte er viel gelernt... Unter anderem auch, wie man bei einem reichlich unorthodoxen Kampf in dunklen Hinterhöfen überlebt.

Aber jetzt stand ihm anderes bevor.

In mancher Beziehung war es jedoch ein völlig normaler Morgen. Seine Frau Mary war bereits unten in der Küche und machte das Frühstück für die Kinder. Tommy und Kate verursachten das übliche Durcheinander, als sie gleichzeitig zu frühstücken und ihre Schulbücher zu finden versuchten.

Außergewöhnlich war nur, daß Mary Thane ihrem Mann an diesem Morgen seinen besten grauen Flanellanzug mit einem sauberen weißen Hemd und einer Seidenkrawatte zurechtgelegt hatte.

Es war Beförderungstag. Thane lächelte humorlos, als er die Krawatte band, das Jackett anzog und seine üblichen Utensilien in die Taschen steckte.

Auf dem Programm stand, daß er an diesem Morgen direkt ins Polizeipräsidium fuhr, und wenn er dort wieder herauskam, war er Detective Superintendent Thane. Mit zweiundvierzig Superintendent zu werden, war eine reife Leistung. Die Beförderung bedeutete auch mehr Geld, das er gut gebrauchen konnte.

Allerdings bedeutete es auch, daß er nicht mehr zur Millside Division zurückkehren würde. Alles, was man ihm gesagt hatte, war, daß er ›versetzt‹ werden würde. Mehr hatte er nicht herausbekommen. Seine berufliche Zukunft lag also völlig im ungewissen.

In wenigen Stunden hatte er sicher das Schlimmste überstanden. Thane warf einen letzten Blick auf sein Spiegelbild und lief dann hinunter. Clyde, der Boxerhund der Familie, lag ausgestreckt auf dem Treppenabsatz, und Thane mußte über ihn hinwegsteigen. Der Hund sah kurz auf, wedelte mit dem Stummelschwanz und schlief dann weiter.

Am Frühstückstisch war gerade ein lautstarker Streit zwischen den beiden Kindern entbrannt, dann gingen sie zur Schule. Mary sank stöhnend auf einen Stuhl neben Thane, und sie genossen in Ruhe noch eine Tasse Kaffee und eine Zigarette, bis vor dem Haus das Hupzeichen ertönte.

Mary, eine schlanke, dunkelhaarige und hübsche Frau, brachte ihn zur Tür. Sie konnte noch dieselbe Kleidergröße tragen wie vor ihrer Ehe mit Thane, und sie beklagte sich manchmal darüber, daß es auch noch dieselben Kleider waren.

»Viel Glück«, wünschte sie ihm lächelnd, rückte seine Krawatte zurecht und küßte ihn. »Mach ein freundlicheres Gesicht... und richte Phil viele Grüße von mir aus... falls du ihn besuchst.«

Thane nickte geistesabwesend. Inspektor Phil Moss, der während seiner Zeit bei der Millside Division seine rechte Hand gewesen war, lag im Krankenhaus und erholte sich von einer Magenoperation. Sobald er wieder den Dienst antreten konnte, sollte er ebenfalls versetzt werden, wußte jedoch auch noch nicht, wohin.

Colin Thane ging durch den kleinen Vorgarten und blieb erstaunt auf dem Gehsteig stehen. Der Streifenwagen der Millside Division war frisch gewaschen und glänzte wie nie, und sein Fahrer hielt Thane den Schlag auf und grüßte zum ersten Mal seit Jahren vorschriftsmäßig.

Kaum waren sie abgefahren, merkte Thane, daß sie nicht auf direktem Weg in die Innenstadt zum Präsidium fuhren, sondern einen ziemlichen Umweg machten. Auf der Strecke schien rein zufällig an fast jeder Kreuzung oder Straßenecke ein Streifenwagen zu stehen, der durch Hup- oder Lichtzeichen Thane begrüßte. Am zufriedenen Grinsen des Fahrers erkannte Thane, daß das alles sorgfältig arrangiert worden war.

Thane war beinahe gerührt, ließ sich jedoch nichts anmerken, und lehnte sich in die Polster zurück, als sie den Millside-Distrikt verließen und das Geschäftszentrum von Glasgow mit seinen vielen Bürohochhäusern begann.

Er würde den Millside Distrikt vermissen. Millside war das große, häßliche Hafen-Viertel am Fluß Clyde, mit Slums, Fabriken und einem reizvollen, alten Randbezirk. Der Distrikt hatte eine so hohe Verbrechensrate, daß die städtische Planungskommission das ganze Viertel am liebsten im Meer versenkt hätte. Trotzdem war es Thane im Laufe der Jahre richtig ans Herz gewachsen.

Was hatten die Leute im Präsidium also mit ihm vor?

Thane war noch immer zu keinem vernünftigen Schluß gekommen, als der Streifenwagen vor dem Hauptportal des Präsidiums anhielt. Thane stieg aus, und der Wagen fuhr davon.

Chefinspektor Thane holte tief Luft, betrachtete die hohe Backsteinfassade des Hauptquartiers der größten Polizeitruppe Englands nach der Londoner Metropolitan Police und trat dann durch eine breite Glastür in die Eingangshalle.

Einer der jungen Polizeikadetten, die dort Dienst taten, führte Thane zum Lift, und dieser trug ihn in das oberste Stockwerk hinauf, in dem das Allerheiligste, das Büro des Polizeichefs, lag.

Im Vorzimmer stellte sich Thane ans Ende der langen Schlange wartender Beamter und Beamtinnen, die ebenfalls befördert werden sollten.

Einer nach dem anderen verschwand durch die gepolsterte Tür und kam wenige Minuten später wieder hinaus. Schließlich war Thane an der Reihe. Ein uniformierter Beamter führte ihn in das geräumige, spärlich möblierte Büro des Polizeichefs. Der hagere Mann mit der sanften Stimme hinter dem Schreibtisch stand auf, schüttelte Thane die Hand, gratulierte ihm knapp, verstummte und musterte Thane einen Moment nachdenklich aus seinen stahlblauen Augen.

»Ich kenne Ihre Akte genau, Detectiv Superintendent.« Es war das erste Mal, daß jemand Thane mit diesem Titel ansprach, der noch sehr fremd klang. »Und ich habe, offen gestanden, den Eindruck, als könnte sich die Verwaltungstätigkeit in der Millside Division nur noch verbessern.«

»Ja, Sir«, murmelte Thane mit ausdrucksloser Miene.

»Wir brauchen eben Leute mit den verschiedensten Fähigkeiten.« Der Polizeichef lächelte. »Zum Glück haben wir eine große Auswahl. Ich glaube, inzwischen wartet draußen bereits ein Herr auf Sie.«

Damit war die Unterredung beendet. Thane ging hinaus und stieß an der Tür beinahe mit einem Sergeant zusammen, der als nächster an der Reihe war. Kurz darauf im Korridor legte sich plötzlich eine schwere Hand auf seine Schulter.

»Tja, jetzt haben Sie's also geschafft!« erklärte eine fröhliche Stimme. William Ilford, genannt ›Buddha‹, der stellvertretende Polizeichef stand breitbeinig vor ihm. Er war ein großer, fülliger Mann, der keine Förmlichkeiten liebte und ein sehr tatkräftiger, entscheidungsfreudiger Beamter war. Ilford musterte Thane prüfend. »Tja, was machen wir denn mit einem frischgebackenen Detective Superintendent? Wie wär's mit 'nem ruhigen netten Lehrauftrag an einer Polizeischule?«

»Sind Sie in letzter Zeit mal in einer solchen Schule gewesen? Ich glaube, ich könnte das Tempo nicht mehr mithalten, Sir.« Thane seufzte. »Trotzdem... vielleicht kommt es nur auf einen Versuch an... Ich habe das Gefühl, als hätte man mich 'ne Weile auf Eis gelegt.«

»Stimmt.« Ilford runzelte die Stirn. »Aber das hat seinen Grund. Deshalb bin ich hier.«

Ilford machte Thane ein Zeichen, ihm zu folgen. Kurz darauf betraten sie Ilfords unordentliches Büro. Auf dem Schreibtisch stapelten sich Papiere und Akten, und an den Wänden hingen reihenweise Fotos, jedes einzelne ein Markstein in Ilfords Karriere bei der Polizei. In der Mitte des Zimmers stand ein mittelgroßer, grauhaariger Mann im eleganten Flanellanzug; er schien in die Betrachtung eines Fotos vertieft zu sein. Als Ilford die Tür schloß, drehte sich der Mann um.

»Ah, Sie haben ihn also gleich mitgebracht.« Der grauhaarige Mann humpelte ein paar Schritte auf Thane zu. »Gratuliere, Superintendent. Sie erinnern sich vermutlich nicht mehr an mich.«

Doch Thane erinnerte sich sogar sehr gut. Der Mann hieß Tom Maxwell, und er hatte drei Jahre zuvor mit ihm zusammen das Versteck einer Bande von Bankräubern in der Nähe von Glasgow ausgehoben. Maxwell war damals bei der Landpolizei und ein ausgebildeter Scharfschütze gewesen. Bei der Aktion gegen die Bankräuber war er bei einer Verfolgungsjagd vom Dach einer Farm gestürzt und hatte sich so schwer am Bein verletzt, daß er seitdem hinkte.

»Detective Superintendent Maxwell«, stellte Ilford lakonisch vor. »Er ist stellvertretender Kommandeur der schottischen Spezialeinheit für Verbrechensbekämpfung, kurz das Crime Squad genannt. Sie arbeiten mit und für ihn, Colin.« Er sah grinsend zu Maxwell. »Tom, von jetzt an ist er Ihr Problem.«

Thane starrte verdutzt von einem zum anderen.

»Tut mir leid, daß wir Sie nicht schon früher einweihen konnten«, sagte Maxwell. »Aber wir hatten Probleme mit unserem Etat. Wir bekommen unser Geld von der Regierung in London, und es sah so aus, als müßten wir nur zwischen einer neuen Kaffeemaschine und Ihnen entscheiden. Aber der Chef wollte Sie, und hat deshalb denen in London Dampf gemacht.« Er zuckte mit den Schultern. »Gestern haben wir die Zustimmung der Regierung bekommen.«

»Das freut mich«, murmelte Thane lahm.

Er hatte mehr Glück gehabt, als er zu hoffen gewagt hatte. Das schottische ›Crime Squad‹ (oder kurz S. C. S. genannt) war eine kleine Einheit ausgesuchter Polizeibeamter, die völlig unabhängig arbeiten konnte und sich nur mit wichtigen, schwerwiegenden Fällen beschäftigte. Eine Stelle beim S. C. S. war das, was sich die meisten Kriminalbeamten erträumten.

Ilford schenkte drei Gläser Whisky ein. »Vorläufig sind Sie von der Glasgower Polizei nur beurlaubt… bis sie beim Crime Squad rausgeworfen werden oder wir Sie zurückfordern.« Er gab jedem ein Glas Whisky. »Trinken wir auf das Verbrechen.«

»Damit wir immer Arbeit haben«, murmelte Thane und trank vorsichtig einen Schluck Whisky. »Wann fange ich beim S. C. S. an?«

»Morgen«, antwortete Maxwell prompt, sah zu Ilford, und als dieser zustimmend nickte, fuhr er fort: »Wir werden Sie sofort einsetzen, weil wir einen Fall haben, der keinen Aufschub duldet.«

»Sie erklären ihm am besten gleich, worum es geht«, forderte Ilford Maxwell auf.

Maxwell nickte und trank einen Schluck Whisky. »Vor zwei Tagen ist nachts ein Däne namens Carl Pender bei einem Unfall mit Fahrerflucht in der Nähe des Glasgower Flugplatzes getötet worden. Der Wagen war gestohlen und ist von den Tätern später einfach wieder abgestellt worden.«

»Vermutlich sind es Jugendliche gewesen«, warf Ilford mürrisch ein. »Man hat zwei Bürschchen in der Nähe des Parkplatzes herumschleichen sehen, wo der Wagen gestohlen wurde. Sie haben die Zündung einfach kurzgeschlossen... So was lernen sie ja heutzutage schon in der Schule.« Er zuckte mit den Schultern. »Wir haben kaum eine Chance, sie zu schnappen, aber die örtliche Verkehrspolizei ist sicher, daß es ein Unfall gewesen ist.«

»Dann interessieren wir uns also für diesen Pender?« erkundigte sich Thane.

»Ja«, antwortete Maxwell. »Er ist ungefähr eine Woche in Schottland gewesen... angeblich als Tourist. Er sollte am nächsten Morgen nach Kopenhagen zurückfliegen.« Maxwell nippte wieder an seinem Glas. »Alles, was wir über Penders einwöchigen Aufenthalt in Schottland wissen, ist, daß er bei einer Mietwagenfirma am Flugplatz ein Auto gemietet hatte, das er am Nachmittag vor seinem Tod zurückbrachte. Anschließend nahm er im Shennan Hotel ein Zimmer.«

»Also wie ein ganz normaler Tourist?« Thane hob erstaunt eine Augenbraue.

»So sah es zuerst aus«, sagte Maxwell. »Dann aber hat einer der örtlichen Polizeibeamten, ein recht intelligenter Sergeant, Penders Habseligkeiten aus seinem Hotelzimmer geholt. Und dabei hat er zwei kleine Beutel mit einem weißen Pulver in einem Paar Socken gefunden, die er zur Analyse ins Labor brachte.«

Ilford nickte und stahl Maxwell die Pointe. »Der vorläufige Laborbericht besagt, daß es sich dabei um ein hochgradiges Amphetamin handelt. Für jeden Süchtigen ein prima Aufputschmittel, das mindestens zehn Pfund pro Gramm wert ist.«

Thane sah Maxwell abwartend an. Er wußte, daß noch mehr kommen mußte, denn bisher klang das alles eher nach einem Routinefall für das Rauschgiftdezernat.

»Daraufhin haben wir diesen Pender natürlich ein wenig genauer unter die Lupe genommen«, fuhr Maxwell fort. »In seinem Paß steht als Berufsbezeichnung ›Buchhändler‹. Bei der dänischen Polizei ist er als einer der wichtigsten Kuriere der europäischen Drogenszene bekannt. Und diesmal wußten unsere dänischen Kollegen nicht einmal, daß er sich im Ausland befand.«

»Hm, da wird dort drüben wohl jemand einen anständigen Rüffel bekommen«, murmelte Ilford.

Maxwell nickte. »Colin, falls unsere Vermutung stimmt, ist Penders Tod die Gelegenheit, auf die wir lange gewartet haben... und der Grund für einen Einsatz des S. C. S.« Maxwell leerte sein Glas und stellte es auf Ilfords Schreibtisch. »Wir nehmen an, daß Pender die beiden Säckchen mit Amphetamin irgendwo hier in Schottland bekommen hat, mit dem Auftrag, sie seinen Bossen in Kopenhagen oder irgendwo anders auf dem Kontinent zu überbringen.«

Thane sah völlig verwirrt zu Ilford hinüber. Aber Ilford betrachtete nur versonnen die Knöpfe seiner Weste und schwieg. Zu weiteren Erklärungen schien er nicht aufgelegt zu sein.

»Darf ich erfahren, warum Sie das vermuten?« erkundigte sich Thane schließlich.

»Es existiert bereits eine Akte. Die gehört ab morgen Ihnen«, antwortete Maxwell aufreizend höflich und gelassen. »Sie werden sich an unsere Arbeitsweise vermutlich noch gewöhnen müssen, Colin. Manchmal besteht sie nur aus Warten, Beobachten... und irgendwann greifen wir dann mit vereinten Kräften ein. Wir vergleichen oft nur die Methoden einzelner Verbrechen in den verschiedenen Distrikten und stellen dabei Ähnlichkeiten fest, die den örtlichen Beamten meistens gar nicht auffallen.«

Ilford räusperte sich mürrisch, doch Maxwell ließ sich nicht beirren. »Ungefähr vor vier Monaten«, fuhr er fort, »kamen wir darauf, daß mehrere kleinere Raubüberfälle immer nach derselben Methode durchgeführt worden waren. Es handelte sich dabei um ein kleines Team, das Postfilialen in Vororten überfiel und nur Bargeld mitgehen ließ.« Maxwell zuckte mit den Achseln. »Keine der Polizeieinheiten, die jeweils mit dem Fall befaßt war, konnte eine Spur hin zum Täterkreis entdecken. Dann hörten die Überfälle ebenso plötzlich wieder auf, wie sie begonnen hatten.«

»Ja, ich habe davon gehört«, warf Thane ein, der sich vage an Einzelheiten erinnerte. »Die haben wie Profis gearbeitet, aber...«

»...aber nichts deutete darauf hin, daß es sich um alte Bekannte handelte«, ergänzte Maxwell. »Ehrlich gesagt, haben sich meine Leute zuerst gar nicht für die Burschen interessiert. Insgesamt waren es nur sechs Überfälle, bei denen nicht mehr als zehntausend Pfund erbeutet worden waren... Also kleine Fische, dachten wir wenigstens.«

»Einer der Überfälle passierte im Einzugsbereich der Strathclyde Polizei«, meldete sich Ilford wieder zu Wort. »Um die Postbeamten einzuschüchtern, wurde dabei ein Schuß abgegeben. Wir konnten die Kugel sicherstellen. Sie stammte aus einer Neunmillimeter-Luger-Pistole.«

Maxwell grinste. »Das war praktisch der erste Hinweis auf die Täter. Ein paar Monate nachdem die Überfälle auf die Postämter aufgehört hatten, hatten wir dann wieder Glück. Diesmal war an einem Wochenende in ein Chemikalien-Lager in Edinburgh eingebrochen worden. Daran waren vier Männer beteiligt gewesen, die einen kleinen blauen Lastwagen eines unbekannten Fabrikats benutzt hatten.«

»Und jemand hat die Täter gesehen?« warf Thane ein.

»Ja, ein Nachtwächter, den die Burschen ins Bein geschossen haben.« Maxwell lächelte humorlos. »Wollen Sie raten, welches Kaliber die Kugel hatte?«

»Stammte sie vielleicht aus einer Neunmillimeter-Luger?«

Maxwell nickte. »Es war dieselbe Waffe wie beim Überfall auf das Postamt. Die Burschen haben sich ziemlich viel Mühe gemacht, das gesamte Lager zu verwüsten, und sind dann mit mehreren Kanistern voller Industriechemikalien verschwunden. Sie haben wirklich alles versucht, um den Anschein zu erwecken, als hätten sie völlig planlos alles mitgehen lassen, was ihnen in die

Hände gefallen ist. Aber unter den gestohlenen Chemikalien befanden sich sämtliche Rohstoffe, die zur Herstellung von Amphetaminen benötigt werden. Verstehen Sie jetzt, worum es sich handelt?«

Thane nickte nachdenklich. Es paßte alles zusammen. Durch die kleinen Überfälle hatten sich die Burschen das Grundkapital und beim Einbruch in das Chemielager die Rohstoffe beschafft. Und dann war da noch Carl Pender. Das Interesse des Scottish Crime Squad war also durchaus gerechtfertigt. Es war schließlich sehr wahrscheinlich, daß Carl Pender nach Schottland gekommen war, um sich Proben der ersten Amphetaminproduktion für ein europäisches Rauschgiftsyndikat zu besorgen, das später größere Mengen des Suchtmittels in Schottland einkaufen wollte.

»Wie lange dauert es noch, bis die Labortests fertig sind?« fragte Thane ruhig.

»Mindestens vierundzwanzig Stunden.« Maxwell sah auf die Uhr. »Vielen Dank, daß Sie uns diese Unterredung ermöglicht haben, Sir«, wandte er sich dann an Ilford. »Wir sehen uns dann morgen«, sagte er lächelnd zu Thane. »Sie wissen ja, wo wir zu finden sind. Können Sie um neun Uhr dort sein?«

Thane nickte.

Maxwell humpelte quer durchs Zimmer und ging hinaus. Als sich die Tür hinter ihm wieder geschlossen hatte, kicherte Ilford unterdrückt und ließ sich dann schwerfällig hinter seinem Schreibtisch nieder.

»Setzen Sie sich und trinken Sie Ihren Whisky aus«, forderte er Thane auf und begann eine Pfeife zu stopfen. »Na, wie fühlen Sie sich jetzt?« erkundigte er sich anschließend.

»Ein wenig hilflos«, gestand Thane. »Wie sind Sie auf die Idee gekommen, mich für das Crime Squad vorzuschlagen?«

»Das habe ich vergessen.« Ilford zündete seine Pfeife an. »Irgendwann habe ich mich mal mit dem Kommandeur unterhalten... Aber wenn Ihnen die Idee natürlich nicht gefällt...«

Thane grinste. »Es gibt Schlimmeres.«

»Finde ich auch«, stimmte Ilford grimmig zu. »Wenn ich denen die wenigen Vorzüge Ihres reichlich undiplomatischen Charakters nicht so gut verkauft hätte, hätten Sie das am eigenen Leib erfahren können. Führungskräfte haben wir bei der Polizei schließlich genug... Nur das brave Fußvolk ist Mangelware.« Seine Miene wurde ernst. »Es ist eine gute Chance für Sie, Colin. Es bringt Ihnen genau die Erfahrung ein, die für Sie wichtig ist, wenn Sie zu uns zurückkommen.«

Thane nickte nur, denn er wußte, daß Ilford nicht erwartete, daß er sich bei ihm bedankte. Er trank den letzten Schluck Whisky und stand auf.

»Wie ich höre, wird heute abend eine Abschiedsparty für Sie veranstaltet, Colin«, sagte Ilford plötzlich. »Bestellen Sie den Jungs, daß eine Runde Schnaps auf meine Rechnung geht.« Er grinste. »Schade, daß Phil Moss nicht dabei sein kann. Wann ist er operiert worden?«

»Vor vier Tagen«, antwortete Thane. »Ich besuche ihn heute nachmittag.«

»Moss ohne Magengeschwür...« Ilford schüttelte den Kopf. »Das ist ja mal was ganz Neues... Vielleicht wird er doch noch ein zivilisierter Mensch. Sagen Sie ihm, daß ich meine letzten Kröten zusammenkratze, um ihm ein paar Weintrauben zu bringen.«

»Das mache ich«, versprach Thane und ging zur Tür. Mit der Hand auf der Türklinke drehte er sich noch einmal zu Ilford um. »Ich werde mein Bestes geben.«

»Das würde ich Ihnen auch raten«, entgegnete Ilford trocken. »Ich habe mit Tom Maxwell zehn Pfund darauf gewettet, daß Sie die Burschen in ihrem Amphetaminlabor innerhalb von zwei Wochen ausgehoben haben werden... und das ist genau das Geld, das Sie und Ihre Leute heute abend versaufen.«

Für die folgenden Stunden hatte Thane sich viel vorgenommen, aber zuerst rief er von einer Telefonzelle aus seine Frau an.

»Ich wußte, daß sie dir nicht irgendeinen langweiligen Verwaltungsposten geben würden«, antwortete Mary, nachdem Thane ihr von seiner Versetzung zum Crime Squad berichtet hatte. »Ich glaube, das ist genau das Richtige für dich.«

»Möglicherweise bin ich viel unterwegs«, warnte er sie. »Keine geregelte Arbeitszeit.«

»Wann hast du schon einmal eine geregelte Arbeitszeit gehabt?« antwortete Mary. »Aber ich will mich nicht beklagen. Ich wußte schließlich, worauf ich mich einließ, als ich dich geheiratet habe.«

Thane mußte unwillkürlich lächeln. »Alles Weitere erzähle ich dir, wenn ich heute abend nach Hause komme.«

»Nach der Party?« Sie lachte. »Da bin ich längst im Bett. Und falls ich wach bleibe, bis du kommst, dann nicht, damit du mir von deiner Arbeit erzählst.«

Thane lachte, verabschiedete sich und hängte ein. Dann zündete er sich eine Zigarette an. Er wußte, was er als nächstes tun mußte. Morgen bekam er die Akte des Scottish Crime Squad über den Fall. Und weil er dort ein Neuling war, konnte es kaum schaden, wenn er schon im voraus ein paar Fleißaufgaben machte.

Die nächsten Stunden verbrachte Thane in der Computerabteilung der Kriminalpolizei und beim Rauschgiftdezernat und sammelte dort alle Informationen, die er bekommen konnte.

Was er dabei über die Drogenszene erfuhr, war im großen und ganzen das, was er bereits als leitender Kriminalbeamter gewußt hatte. Die Schotten zogen den Drogen noch immer ihre traditionellen Laster wie Alkohol und Glücksspiel vor. Glasgow galt lediglich als einer der Umschlagplätze für Drogen, die nach Großbritannien kamen. Dabei handelte es sich hauptsächlich um Haschisch oder Heroin, das am Hafen oder am Flugplatz eingeschmuggelt wurde.

»Wir sind hier nur eine Station auf dem Weg vom Fernen Osten nach London und Europa, Sir«, erklärte ein Beamter vom Rauschgiftdezernat Thane. »Natürlich haben wir einige Süchtige und Pusher, aber im Vergleich zu den meisten anderen europäischen Hauptstädten sind wir echt gut dran.«

Und das Rauschgiftdezernat hatte keine Unterlagen über neue

Zwischenhändler der Drogenszene oder eine Zunahme der gehandelten Drogenmenge, und das Dezernat besaß auch keinerlei Hinweise auf kürzlich erschlossene Amphetaminquellen, die sich bereits auf dem Markt bemerkbar machen könnten.

In der Computerabteilung bekam Thane einige Akten über das, was sich zur Zeit in der Unterwelt tat, welche Gerüchte kursierten und was die Polizeispitzel berichteten.

Aber Thane fand auch hier keinen Hinweis, der ihm weitergeholfen hätte. Daraufhin las er sich noch einmal die Berichte über die Postüberfälle durch. Die Überfälle hatten jeweils in kleinen Außenfilialen stattgefunden und waren immer von zwei maskierten und bewaffneten Männern durchgeführt worden, während ein dritter Mann im gestohlenen Fluchtwagen gewartet hatte.

Alle übrigen Versuche, die Überfälle miteinander in Verbindung zu bringen, standen auf schwachen Beinen. Die Personenbeschreibungen der Tatzeugen deckten sich überhaupt nicht, wenn es um Größe, Figur und Alter der Verbrecher ging.

Thane überraschte das kaum. Er hatte es selten erlebt, daß man sich auf Personenbeschreibungen von Tatzeugen hatte verlassen können. Selbst die bei den Überfällen benutzten Waffen waren nicht miteinander identisch. Nach Aussage der Zeugen waren bei drei Überfällen Pistolen und bei den übrigen ein Schrotgewehr mit abgesägtem Lauf gesehen worden.

Die Berichte der Polizeispitzel hatten ebenfalls nicht viel gebracht, denn offensichtlich herrschten auch in der Unterwelt Verwirrung und Ärger über die Überfälle, da sie vermutlich von Neulingen begangen worden waren, die einfach in das Gebiet der örtlichen Unterwelt eingedrungen waren und dieser unangenehme Polizeiaktionen beschert hatten.

Anschließend aß Thane in der Kantine des Polizeipräsidiums kurz zu Mittag und lief dann im Regen zur Bushaltestelle, um zum Krankenhaus zu fahren. Die Besuchszeit begann in einer halben Stunde, und er hatte Mary den rostigen Kombi der Familie für den Tag überlassen.

Als er vor dem Krankenhaus ausstieg, goß es bereits in Strömen. Thane schlug den Mantelkragen hoch, kaufte am Kiosk ein paar Illustrierte und eine Schachtel Pfefferminzbonbons und betrat dann das häßliche Backsteingebäude, in dem sich Inspektor Phil Moss zur Zeit von seiner Magenoperation erholte.

Moss lag in der chirurgischen Abteilung im zweiten Stock. Thane betrat das Zimmer mit einigen anderen Besuchern und entdeckte Phils blasses, hageres Gesicht im letzten Bett am Fenster.

»Na, haben sie dich wieder gut zusammengeflickt?« erkundigte sich Thane und legte Zeitschriften und Bonbons aufs Bett.

»Woher soll ich das wissen? Ich bin doch nur der Patient«, antwortete Moss schlechtgelaunt und griff nach den Mitbringseln. »Diese Ärzte sind doch alle gleich. Die interessieren sich nur dafür, ob du lebst oder tot bist. Alles andere ist denen egal.«

»Du scheinst dich schon wieder ganz gut erholt zu haben«, bemerkte Thane erleichtert.

Er betrachtete den fast sechzigjährigen, hageren und drahtigen Phil Moss einen Augenblick mit verschmitztem Lächeln. Der Inspektor war so etwas wie ein Unikum in der Millside Division der Glasgower Kriminalpolizei. Der eigenbrötlerische Junggeselle mit der scharfen Zunge war dort nicht nur wegen seiner Tüchtigkeit als pflichtbesessener Polizist, sondern auch wegen seines Magengeschwürs bekannt, das er zwölf Jahre lang beharrlich selbst behandelt hatte, bis er sich endlich doch zu einer Operation entschloß.

Thane war darüber sehr froh gewesen. Denn trotz vieler Meinungsverschiedenheiten hatte sich im Laufe der Jahre eine tiefe Freundschaft und ein gegenseitiges Verstehen zwischen Phil Moss und Thane entwickelt und Thane hatte das Gefühl, daß Moss der Operation nur deshalb zugestimmt hatte, weil ihre langjährige Zusammenarbeit bei der Millside Division dem Ende zugegangen war.

»Ich soll dich von Mary grüßen«, sagte Thane und setzte sich auf einen Stuhl neben Phils Bett.

»Danke. Grüß sie wieder.« Moss grinste und deutete dann auf die Pfefferminzbonbons. »Da hättest du was Besseres für mich aussuchen können, aber ich werde versuchen, sie gegen was anderes einzutauschen.« Er legte sich mit einer Grimasse in die Kissen zurück. »Okay, was für einen Job haben sie dir gegeben?«

»Ich komme zum Scottish Crime Squad.«

»Nicht schlecht«, murmelte Moss anerkennend und sah sich dann vorsichtig im Krankenzimmer um. Die anderen Patienten unterhielten sich lautstark mit ihren Besuchern. »Was für einen Fall bearbeitet ihr?«

»Es geht um ein geheimes Drogenlabor mit Selbstfinanzierung... das heißt, so sieht es im Moment wenigstens aus.« Thane erzählte ihm leise und in groben Zügen den Rest. Moss hörte ihm interessiert zu.

»Ein Toter ist ein guter Anhaltspunkt«, bemerkte Moss schließlich zynisch. »Warum redest du nicht mal mit dem Personal in seinem Hotel?«

»Ich bin gerade auf dem Weg dorthin«, antwortete Thane. »Ich wollte mich nur zuerst um die Kranken der Gemeinde kümmern.«

»Du Wohltäter!« Moss grinste, stützte sich auf die Ellbogen auf und schüttelte den Kopf. »Jedenfalls viel Glück. Ich kann dich diesmal leider nicht vor Dummheiten bewahren.«

»Tja, mein Pech«, seufzte Thane. »Wann lassen sie dich hier wieder raus?«

»In ungefähr zehn Tagen... das hängt von meiner guten Führung ab.« Moss zuckte resigniert mit den Schultern. »Danach, heißt es, brauche ich noch vier Wochen Erholungsurlaub. Und dann... tja, dann werde ich auch nicht wieder ganz einsatzfähig sein, und Buddha Ilford wird mich in irgendeiner Ecke verstekken.«

»Er will dich besuchen.« Thane zögerte, denn er wußte, daß Moss vielleicht recht hatte. Und wenn Ilford Moss tatsächlich aufs Abstellgleis schob, dann war das angesichts der Fähigkeiten Phils pure Verschwendung. »Wahrscheinlich irrst du dich.«

»Da bin ich nicht so sicher.« Moss sah zur Tür, und in seinen Augen glomm Interesse auf. »Aha, der Vampir geht wieder um.«

Thane folgte seinem Blick. Eine große, dunkelhaarige Krankenschwester hatte das Zimmer betreten und sprach mit einem dicken Mann, der nur ausdruckslos zur Decke starrte und sie gar nicht zu hören schien.

»Stationsschwester Blair«, schilderte Moss sie leise seinem Kollegen. »Sie würde dem sowjetischen K. G. B. alle Ehre machen... vermutlich hat man sie dort auch ausgebildet.«

Thane lachte. »Wer ist der Patient?«

»John Gillan... Blinddarmdurchbruch. Er ist gestern nacht operiert worden.« Moss schwieg und fluchte dann unterdrückt, als er sah, daß Schwester Blair auf sein Bett zusteuerte.

»Na, Mr. Moss, geht's schon besser?« erkundigte sie sich nach alter Gewohnheit.

»Bis vor 'ner Minute sogar ausgezeichnet«, antwortete Moss anzüglich.

»Gut.« Sie lächelte gezwungen. »Ich möchte mir Ihren Verband mal ansehen... Wenn Ihr Besucher also...«

»Ich muß sowieso gehen«, sagte Thane schnell.

»Hast du ein Glück!« rief Moss sehnsüchtig. »Hier gilt nur, was die Stationsschwester sagt.«

»Genau, lieber Mr. Moss.« Schwester Blair zwinkerte Thane zu. »Unsere magersten Patienten erholen sich meistens am schnellsten. In ein paar Tagen bekommt er schon die Fäden gezogen.« Sie wandte sich wieder an Moss. »Und darauf freuen wir uns schon beide, was?«

Thane sah das gefährliche Leuchten in Moss' Augen und verabschiedete sich hastig.

Als Thane das Krankenhaus verließ, hatte es zu regnen aufgehört, und die Straßen waren bereits wieder halbwegs trocken. Er fuhr mit dem Bus zurück zum Revier der Millside Division, das in einem alten Bürohaus im viktorianischen Stil untergebracht war. Es war ein seltsames Gefühl für Thane, nicht mehr dorthin zu gehören. Er ging die ausgetretenen Stufen in den ersten Stock hinauf und durch den fast leeren Bereitschaftsraum in sein Büro.

Schon vor Tagen hatte er seinen Schreibtisch systematisch ausgeräumt. Jetzt steckte er den Rest in einen dicken Umschlag und betrat dann anschließend erneut den Bereitschaftsraum. Sein Nachfolger saß dort an einem Schreibtisch in der hintersten Ecke. Dave Andrews war ein großer Mann mit Glatze, der bereits vor Wochen als Chefinspektor aus dem Präsidium zur Millside Division übergewechselt war, um sich in seinen neuen Posten einzuarbeiten.

»Ich überlasse jetzt Ihnen das Feld«, sagte Thane lächelnd und legte seinen Schreibtischschlüssel vor Andrew auf den Tisch.

»Man munkelt hier, daß Sie einen guten Job bekommen haben. Viel Glück«, wünschte Dave Andrews ihm.

»Danke, ich kann's gebrauchen.« Thane zögerte einen Moment. Schließlich fragte er beinahe scheu: »Dave, ich würde gern für ein paar Stunden einen Wagen ausleihen. Können Sie einen entbehren?«

»Brauchen Sie auch einen Fahrer?«

Thane schüttelte den Kopf. »Nein, nur das Auto.«

»Dann nehmen Sie meinen Wagen.« Andrews lehnte sich auf seinem Stuhl zurück und grinste. »Aber sehen Sie zu, daß Sie rechtzeitig zur Abschiedsparty wieder zurück sind. Die Leute hier denken an nichts anderes.«

Andrew fuhr einen zwei Jahre alten Volkswagen mit Schonbezügen und sauberen Aschenbechern. Thanes Nachfolger hatte keine Kinder, und seine Frau war ebenfalls berufstätig. Thane dachte an seinen alten, schäbigen Kombi. Vielleicht konnte er sich mit dem Gehalt eines Superintendenten nun einen besseren Wagen leisten.

Thane fuhr in Richtung Flughafen und hielt eine Viertelstunde später in der Auffahrt des Shennan Hotels.

Das Shennan war ein moderner Betonkasten mit riesigen Glasfenstern und Türen. Thane betrat die mit Teppichboden ausgelegte Eingangshalle, ging zum Empfang, zeigte seine

Dienstmarke und sagte dem Empfangschef, was er wollte.

»Tut mir leid, über Mr. Pender kann ich Ihnen gar nichts erzählen.« Der dicke Mann hinter der Theke schüttelte den Kopf. »Ich hatte da gerade meinen freien Tag, Superintendent. Aber versuchen Sie's mal bei Willie Cox, dem Barkeeper. Er behauptet, daß Pender den Großteil des Abends in der Bar verbracht hat.«

Die Cocktailbar lag auf der anderen Seite der Eingangshalle. Thane ging darauf zu. An der Tür wäre er beinahe mit einem jungen Mann, der einen blauen Anorak trug und ein blasses Gesicht sowie langes schwarzes Haar hatte, zusammengestoßen. Der junge Mann murmelte hastig eine Entschuldigung, und Thane betrat die Bar. Es war noch früh, und die Tische waren nur spärlich besetzt. Thane stellte sich an die leere Theke und legte unauffällig seinen Dienstausweis vor den Barkeeper auf den Tisch.

»Ich möchte mich mit Ihnen ein wenig über Carl Pender unterhalten«, begann Thane ohne Umschweife.

»Er ist hier gewesen.« Der Barkeeper, ein hagerer Mann mit scharfgeschnittenem Gesicht, nickte. »Pender hat allein ein paar Gläser Whisky getrunken und einige Worte mit mir gewechselt... das ist alles.«

»Hat er Ihnen vielleicht erzählt, wo er überall in Schottland gewesen ist?« wollte Thane wissen.

»Nein... jedenfalls nicht direkt. Er hat über Whisky... über unvermischten Hochlandwhisky gesprochen.« Der Barkeeper deutete auf eine stattliche Reihe von Flaschen im Regal. »Sie wissen ja, wie das ist. Wenn man Touristen mal einen puren Malzwhisky zu trinken gibt, dann glauben die eine neue Religion entdeckt zu haben.«

Thane nickte. Außerhalb Schottlands waren meistens nur die Whiskyverschnitte bekannt. Die puren Malzwhiskysorten der kleinen Brennereien, von denen jede ihren eigenen besonderen Charakter und Geschmack hatte, waren den Touristen unbekannt.

»Fahren Sie fort«, forderte Thane den Barkeeper auf. »Wo ist er gewesen?«

»Na, er kannte jedenfalls Glenfiddich, Glenlivet, Tomatin… also sämtliche Brennereien von der Speyside. Von den Inselmarken wie Ardbeg und den anderen Hochlandsorten hatte er allerdings keine Ahnung.«

»Sie meinen also Speyside.« Thane lächelte zufrieden. Diese ruhige, gebirgige Gegend im Nordosten des schottischen Hochlands war ziemlich eng begrenzt und abgelegen. Trotzdem schien es am Fuß fast jeden Hügels eine Whiskybrennerei zu geben. »Wissen Sie Genaueres?«

Der Barkeeper zuckte mit den Schultern. »Eine Brennerei hatte er besichtigt. Welche, hat er mir nicht erzählt, und ich habe auch nicht weiter gefragt. Aber offensichtlich ist die Brennerei gerade renoviert worden. Er hat einen Witz darüber gemacht.«

»Na gut.« Thane hatte mehr erfahren, als er gehofft hatte. »Hat sich Pender hier in der Bar mit jemandem getroffen… oder hat er mit einem anderen Gast geredet?«

»Nein. Er hat nur an seinem Tisch gesessen, hat seinen Whisky getrunken, ist hinausgegangen und hat sich überfahren lassen.« Cox musterte Thane neugierig. »Hören Sie, warum wird eigentlich um diesen Pender so viel Aufhebens gemacht?«

»Er war Ausländer.« Das war zwar kaum eine plausible Erklärung, aber dem Barkeeper schien sie zu genügen.

»Ich habe mich schon gewundert.« Cox begann sichtlich enttäuscht Gläser zu polieren. »Jeder scheint sich plötzlich für diesen Pender zu interessieren.«

»Jeder?« Thane zog fragend eine Augenbraue hoch.

»Na, zum Beispiel dieser Reporter, der gerade wieder gegangen ist.« Als der Barkeeper Thanes überraschten Gesichtsausdruck sah, grinste er. »Er muß Ihnen begegnet sein, Superintendent. Haben Sie den jungen Typ mit dem blauen Anorak nicht gesehen? Er hat behauptet, er wolle für eine dänische Zeitung einen Artikel über den Unfall schreiben.«

»Kennen Sie ihn?« fragte Thane ohne viel Hoffnung.

»Nein, er ist mir nie begegnet.« Cox zuckte die Achseln. »Er hat sich als Mr. Chester vorgestellt und arbeitet angeblich für eine skandinavische Nachrichtenagentur in Schottland. Eigentlich wollte er nur wissen, wie der Unfall passiert ist. Ich habe ihn zu meinen Kollegen am Empfang geschickt.«

»Sind noch... noch mehr Neugierige hier gewesen?« fragte Thane und fluchte unterdrückt.

»Nein... wenigstens keine Reporter. Aber dafür war gestern ein großer, bulliger Mann mit rotem Gesicht bei mir. Er kam angeblich von einer Versicherungsgesellschaft.« Cox zwinkerte Thane zu. »Er hat sich aber genau wie Sie mehr dafür interessiert, wo Pender während seines Aufenthalts in Schottland gewesen sein könnte. Und... und er war mit Geld verdammt großzügig.«

»Hat er sich vorgestellt?« wollte Thane wissen.

»Ja, er hieß Kirkson. Von welcher Versicherungsgesellschaft er kam, hat er nicht gesagt, und ich habe auch nicht gefragt. Aber er ist jedenfalls sehr großzügig gewesen«, fügte Cox mit einem hoffnungsvollen Blick auf Thane hinzu.

»Dann hat er für uns beide bezahlt«, bemerkte Thane ungerührt.

Er ging zum Empfang zurück.

»Ein Reporter namens Chester im blauen Anorak ist gerade hier gewesen und wollte was über Carl Pender wissen«, begann Thane. »Haben Sie mit ihm gesprochen?«

»Ja, kurz nach Ihrer Ankunft.« Der Mann am Empfang sah Thane verwirrt an. »Ich habe ihm geraten in die Bar zurückzugehen, und mit Ihnen zu reden, Superintendent. Aber er hat sich verdrückt.«

Da Thane im Moment nicht mehr tun konnte, verließ er das Hotel und fuhr zu der Mietwagenfirma am Flugplatz. Der Geschäftsführer war ein Ire namens O'Brien, der Thanes Frage knapp und präzise beantwortete.

»Mit Mr. Pender hatten wir keine Schwierigkeiten.« O'Brien holte eine Akte aus dem Regal. »Er hat die übliche Kaution in bar hinterlegt, und wir haben ihm einen grünen Chrysler Avenger vermietet.«

»Wo ist der Wagen jetzt?«

»Unterwegs.« O'Brien warf einen Blick auf eine Karteikarte. »Und zwar für zwei Wochen mit einer amerikanischen Familie auf Europaurlaub. Wir haben den Wagen natürlich vorher ausgeräumt und saubergemacht.«

Thane nickte. Das bedeutete, daß er das Auto vergessen konnte.

»Hat Pender zufällig erwähnt, wo er die Woche über gewesen ist?«

»Nein.« Der junge Ire sah erneut in seiner Akte nach. »Aber er ist mit unserem Wagen nur fünfhundert Kilometer gefahren. Weit kann er also nicht herumgekommen sein.« O'Brien musterte Thane etwas erstaunt. »Wissen Sie, ich habe das alles eigentlich schon Ihrem Kollegen, diesem Sergeanten, erzählt, der bei mir gewesen ist, bevor Mr. Pender bei diesem Unfall ums Leben gekommen ist. Macht ihr bei der Polizei eigentlich alles zweimal?«

»Manchmal schon.« Thane ließ sich seinen Ärger nicht anmerken. »Ich will die Sache überprüfen. Wer war der Sergeant?«

»Ein Kriminalbeamter wie Sie… Sergeant Kirkson«, antwortete O'Brien. »Er war eine Stunde, nachdem Mr. Pender den Wagen abgeliefert hatte, bei uns.«

»Kirkson«, wiederholte Thane zähneknirschend. »Hat er Ihnen seinen Dienstausweis gezeigt?«

»Daran kann ich mich nicht mehr erinnern.« Der junge Ire zögerte. »Ich… ich glaube, ich habe ihn gar nicht danach gefragt.«

»Das tun viele Leute nicht«, seufzte Thane. »Wie hat er ausgesehen?«

»Er war groß und hatte ein rundes, rotes Gesicht.« O'Brien runzelte die Stirn. »Kirkson hat behauptet, daß die Polizei einen Mann sucht, der einen grünen Chrysler gefahren hat und in einen Unfall auf der A 9 verwickelt war.« Er zuckte die Achseln. »Ich habe ihm genau wie Ihnen gesagt, daß wir nicht wissen, wo Pender mit dem grünen Chrysler gewesen ist. Er hat noch nach dem Kilometerstand gefragt und ist dann gegangen.«

»Ich werde mal mit Sergeant Kirkson reden… falls ich ihn auftreiben kann«, erklärte Thane düster. »Danke für Ihre Hilfe.«

Auf dem Weg zurück zur Millside Division machte Thane nur noch kurz beim Leichenschauhaus halt.

Ein älterer Wärter zeigte ihm Carl Penders Leiche. Thane betrachtete einen Moment nachdenklich das schmale, intelligente und doch unauffällige Gesicht des Toten, das beim Unfall völlig unverletzt geblieben war. Dann ging er wieder.

Als er zum Revier der Millside Division zurückkam, war es bereits dunkel. Thane stellte den Volkswagen auf dem Parkplatz ab und ging dann in seine alte Abteilung hinauf, wo aber sein ehemaliges Büro bereits von Dave Andrews bezogen worden war. Die Ära Thane war in der Millside Division endgültig vorüber.

Thane setzte sich an einen freien Schreibtisch im Bereitschaftsraum, führte mehrere Telefongespräche und dachte dann angestrengt über das Ergebnis dieser Telefonate nach.

Es gab einige Reporter, denen er trauen konnte. Keiner von ihnen hatte je von einem Kollegen von einer skandinavischen Nachrichtenagentur gehört, der Chester hieß und in Schottland arbeitete. Die beiden Nachrichtenagenturen, welche die dänische Presse mit Informationen belieferten, hatten Carl Penders Tod keine Beachtung geschenkt.

Und die Personalabteilung im Präsidium führte keinen Sergeant Kirkson, und die Verkehrspolizei wußte von keinem Unfall auf der A 9 oder irgendeiner anderen Straße, an dem ein grüner Chrysler beteiligt gewesen wäre.

Zwei Männer hatten also unter falschen Namen und offensichtlich aus verschiedenen Motiven versucht, alles über Carl Penders Aktivitäten in Schottland und über seinen Unfall herauszubekommen. Thane fluchte unterdrückt, zerknüllte seinen Notizzettel und warf ihn in den Papierkorb. Dann merkte er plötzlich, daß es im Bereitschaftsraum seltsam ruhig geworden war, und sah auf. Eine Gruppe von Kriminalbeamten stand in der

Nähe der Tür. Einer der Männer kam auf Thane zu.

»Detective Superintendent, Sir...« Er grinste. »Zeit für die Abschiedsparty. Wir sind bereit.«

Die Feier fand in der Bar des Lokals ›Hydra's Head‹ statt, das zu Fuß nur zwei Minuten vom Revier der Millside Division entfernt lag, und in dem sich traditionsgemäß sämtliche Polizeibeamte der Gegend trafen.

Es war Sitte, daß Thane jedem Neuankömmling einen Drink spendieren mußte, den Rest des Abends bestritt dann jeder aus der eigenen Tasche. Im Laufe des Abends verlor Thane bald den Überblick über die vielen Kollegen, die kamen und gingen. Die meisten hatten in seiner Abteilung der Kriminalpolizei gedient, aber es waren auch Männer und Frauen aus anderen Dezernaten anwesend, die sich von ihm verabschieden wollten.

Zu fortgeschrittener Stunde überreichte dann der dienstälteste Beamte der Millside Division, Sergeant MacLeod, Thane eine schöne Digitaluhr als Abschiedsgeschenk. Thane war so gerührt, daß er kaum ein Wort des Dankes hervorbrachte.

Erst spät begann sich die Bar der ›Hydra's Head‹ langsam zu leeren, und Thane benutzte eine günstige Gelegenheit, sich unauffällig zu verdrücken. Draußen in der kühlen Nachtluft fröstelte es ihn plötzlich. Der Himmel war sternenklar, und es wehte ein kalter Wind. Thane hatte mehr getrunken als er vertrug, und wußte es.

Aber es war schließlich ein besonderer Anlaß gewesen. Thane blieb unter einer Straßenlampe stehen und betrachtete lächelnd seine neue Digitaluhr am Handgelenk. Dann beschloß er, noch ein Stück zu Fuß zu gehen, bevor er ein Taxi nach Hause nehmen wollte.

Er war kaum ein paar Schritte gelaufen, als er merkte, daß er nicht mehr allein war. Aus dem Schatten einer Toreinfahrt war ein bulliger Mann mit blondem, kurzgeschnittenem Haar getreten. Er trug eine Lederjacke und hatte über dem rechten Mundwinkel eine häßliche Narbe. Thane kannte ihn. Tusker Harris war ein kleiner Gauner und Gelegenheitsdieb, einer der Stammkunden der Millside Division.

»Na, wollen Sie auch noch 'n bißchen frische Luft schnappen, Tusker?« erkundigte sich Thane leise und machte sich darauf gefaßt, daß es Ärger geben würde.

»So ungefähr.« Harris trat einen Schritt näher. Er hatte die Hände in den Taschen seiner Lederjacke vergraben. »Man sagt, Sie wollen uns verlassen... und werden zu 'ner Elitetruppe versetzt.«

»Stimmt, ich verlasse die Millside«, antwortete Thane.

»Hm, und nach dem Krach zu urteilen, haben die Jungs 'ne tolle Abschiedsparty steigen lassen.« Harris sah verlegen zur Seite. »Na, jedenfalls wollte ich auf Sie warten, um Ihnen auf Wiedersehen zu sagen.« Harris zuckte die Achseln. »Ich habe schlimmere Bullen gekannt, als Sie es sind.«

Thane lächelte. »Mein Nachfolger ist auch kein Unmensch, Tusker. Sagen Sie das den anderen.«

»Wir geben ihm 'ne Chance.« Harris musterte Thane ausdruckslos. »Ich habe auch ein Abschiedsgeschenk für Sie, Mister. Hier scheint sich noch jemand für Sie zu interessieren. Er sitzt in dem blauen Austin, der auf der anderen Straßenseite parkt... ungefähr hundert Meter hinter Ihnen. Die Scheinwerfer sind ausgeschaltet, aber er hat den Motor angelassen, als Sie aus dem Lokal gekommen sind. Bis jetzt ist er nicht losgefahren.«

»Danke«, antwortete Thane ruhig. »Wie lange steht der Wagen schon da?«

»Er war bereits da, als ich gekommen bin.« Damit wandte Tusker sich ab und verschwand.

Thane zündete sich absichtlich langsam eine Zigarette an und ging dann weiter, ohne sich umzusehen. Zweimal kam er an einem Schaufenster vorbei und konnte darin kurz die Straße hinter ihm erkennen. Der Wagen war da. Er fuhr langsam und ohne Licht hinter ihm her. Thane hörte nicht einmal das Motorengeräusch.

Schließlich hatte er die Straßenecke erreicht, wo er die Fahrbahn überqueren mußte. Diesmal warf er bewußt einen Blick zurück.

Der Austin hatte angehalten. Einer plötzlichen Eingebung folgend, wirbelte Thane herum und ging quer über die Straße direkt auf den parkenden Austin zu.

Er hatte noch nicht ein Viertel des Weges zurückgelegt, als der Motor des Austin aufheulte und der Wagen mit quietschenden Reifen und grell aufflammenden Scheinwerfern auf ihn zuschoß. Thane warf sich instinktiv zur Seite, rollte ab, als er auf das Pflaster prallte, und im nächsten Augenblick raste das Auto so nahe an ihm vorbei, daß ihm Schmutz und Kies ins Gesicht spritzten.

Der Austin fuhr weiter. Als Thane mühsam auf die Beine kam, sah er die Rücklichter des Wagens gerade hinter der nächsten Biegung verschwinden. Das Motorengeräusch wurde leiser, und Thane hörte Schritte hastig näherkommen. Im nächsten Moment stand Tusker Harris vor ihm.

»Da hat sich ja jemand was ganz Hartes ausgedacht.« Tusker runzelte mißbilligend die Stirn. »Gut, daß ich Sie gewarnt habe, oder?«

Thane holte tief Luft. Es war alles so schnell passiert, daß ihm das, worauf es ankam, entgangen war. »Haben Sie die Nummer des Austin erkennen können, Harris?«

»Ich?« Harris schüttelte den Kopf. »Tut mir leid, nein. Haben Sie 'ne Ahnung, warum der Irre Sie überfahren wollte?«

»Vielleicht wollte er sich auch von mir verabschieden«, erwiderte Thane mit grimmigem Humor.

»So?« Tusker Harris ging auf Thane ein. »Dann kann's auch sein, daß er sie auf diese eigenwillige Art begrüßen wollte.«

Damit ließ Tusker Harris den Superintendenten erneut allein.

Unfreiwillig ernüchtert ging Thane noch ein Stück zu Fuß und hielt dann ein Taxi an. Auf der Fahrt nach Hause warf er einen Blick auf seine Uhr und sah, daß das Deckglas zerbrochen war. Er fluchte unterdrückt, statt sich darüber zu freuen, daß er noch am Leben war. Genausogut hätte er nämlich mausetot sein können. Es gab offensichtlich jemanden, der ihn nicht leiden konnte.

Thane verdrängte den unangenehmen Gedanken, als das Taxi vor seinem Bungalow hielt. Er bezahlte, sah, daß im Haus kein Licht mehr brannte und ging hinein.

Aber Mary war, wie meistens, auch heute wach geblieben.

Kapitel

2

Um die Fassade zu wahren, wurde das Scottish Crime Squad im Telefonbuch unter je einer Geschäftsadresse im Zentrum von Glasgow und in Edinburgh geführt. Beide Adressen existierten wirklich und waren sehr nützlich.

Das eigentliche Hauptquartier, in dem alle Fäden zusammen-liefen, befand sich jedoch am Südufer des Clyde, nur wenige Ki-lometer vom Stadtzentrum entfernt, an der Schnellstraße nach Greenock.

Das Gebäude lag in einem großen umzäunten Grundstück, an dessen Eingangstor ein Schild mit der Aufschrift ›Polizeiliches Übungsgelände‹ stand. Hinter dem Haupttor führte eine schmale Privatstraße an Pferdekoppeln und Hundezwingern vorbei zu einem modernen einstöckigen Flachbau, der wie ein Sportpavillon oder ein Golfclubhaus aussah. Das einzige, was nicht recht in das friedliche, gepflegte Bild passen wollte, waren die riesigen Funkantennen auf dem Dach des Gebäudes.

Colin Thane stand an diesem Morgen schon früh und mit leichten Katergefühlen auf, die jedoch langsam vergingen, als er die erste Tasse schwarzen Kaffee getrunken hatte. Nachdem die Kinder in die Schule aufgebrochen waren, schrieb er am Kü-chentisch einen kurzen Bericht über das, was am Vortag passiert war.

Thane tat dies mit gemischten Gefühlen, denn er wußte, daß

das S. C. S. so lange nicht in Erscheinung treten wollte, bis es zum entscheidenden Schlag ausholen konnte. Und falls er in der Sache Pender bereits ein Gezeichneter war, würde das den Leuten vom S. C. S. sicher nicht gefallen.

»Was ist, Colin?« erkundigte sich Mary. »Hast du Sorgen?«

»Nein, eher einen Kater«, log Thane, faltete den Bericht zusammen und steckte ihn in die Tasche. Er hatte seiner Frau von dem Vorfall am Vorabend nichts erzählt. »Ich muß jetzt gehen.«

»Weil ich sonst peinliche Fragen stellen könnte?« meinte Mary ruhig. »Der Anzug, den du gestern getragen hast, sieht aus, als hättest du dich damit im Dreck gewälzt. Ich bringe ihn in die Reinigung.«

Thane seufzte, küßte sie, holte seinen Mantel und ging.

Es war kurz vor neun Uhr, als er seinen alten Kombi durch das Tor des Hauptquartiers des Scottish Crime Squad lenkte. Thane parkte den Wagen hinter dem Haus. Als er ausstieg, entdeckte er auf dem Dach des Gebäudes eine Fernsehkamera, die offensichtlich das Gelände überwachte.

Thane fühlte sich beinahe wie ein Kind am ersten Schultag, als er durch die gläserne Eingangstür in die Halle ging. Nichts deutete dort darauf hin, daß man das Hauptquartier einer Eliteeinheit der Polizei betrat.

»Guten Morgen«, begrüßte ihn eine elegant gekleidete Dame, die auf der rechten Seite der komfortabel eingerichteten Halle hinter einem langen Schreibtisch saß. Links von ihr flimmerten die Kontrollmonitore von Fersehkameras, und rechts von ihr stand ein moderner Fernschreiber. »Superintendent Thane?«

»Ja.« Thane hatte sich an den neuen Dienstrang noch immer nicht gewöhnt.

Die Dame lächelte. Sie trug einen Ehering und hatte bereits ein paar graue Strähnen im dunklen Haar. Thane schätzte, daß sie ungefähr in seinem Alter sein mußte. Hinter ihr hörte eine junge Blondine einen Moment auf, ihre Schreibmaschine zu bearbeiten, und musterte ihn interessiert.

»Gehen Sie einfach geradeaus durch. Commander Harts Büro

liegt hinter der dritten Tür links. Superintendent Maxwell ist bereits bei ihm.« Sie lächelte freundlich. »Ich bin Maggie Fyffe, die Sekretärin des Commanders und sozusagen Mädchen für alles. Falls ich Ihnen irgendwie behilflich sein kann, lassen Sie es mich nur wissen.«

Das Telefon auf ihrem Tisch läutete, und sie hob ab.

Thane ging den Korridor entlang und begegnete dabei zwei jungen Männern, die gerade aus ihren Büros kamen. Die beiden trugen schmutzige Jeans, T-Shirts und Wolljacken und waren unrasiert. Einer murmelte einen Gruß, nachdem er Thane erkannt hatte. Als Thane ihn das letzte Mal gesehen hatte, war der junge Mann ein sauber gekleideter Kriminalbeamter der Central Division von Glasgow gewesen.

An der dritten Tür links war ein kleines Metallschild mit der Aufschrift ›Commander‹ angebracht. Thane drückte auf den Klingelknopf daneben, und das Zeichen ›Herein‹ leuchtete auf. Er trat ein, schloß leise die Tür hinter sich und sah den Mann an, der von jetzt an sein Chef sein würde.

»Sie haben also Ihre Abschiedsfeier überlebt.« Der große, hagere Mann mit dunklem Haar hinter dem Schreibtisch erhob sich, kam auf Thane zu und schüttelte ihm die Hand. Commander Hart war ungefähr Ende Vierzig und hatte ein faltiges Gesicht mit hohen Backenknochen und melancholischen braunen Augen. »Willkommen bei uns! Tom Maxwell kennen Sie ja bereits.«

Thane nickte Maxwell kurz zu, der am Fenster stand, und blickte dann wieder Hart an.

Er war Chefsuperintendent Jack Hart, dem Chef des S.C.S., vorher nie begegnet und wußte nur, daß Hart ein erfolgreicher Abteilungsleiter bei der Kriminalpolizei gewesen war, bevor er das Scottish Crime Squad übernommen hatte. In seiner jetzigen Stellung genoß Hart in jeder Beziehung weitgehend Entscheidungsfreiheit, und die einzelnen Polizeichefs versuchten selten, ihm ins Handwerk zu pfuschen.

»Trinken wir erst mal eine Tasse Kaffee«, schlug Hart vor,

nachdem er Thane eingehend gemustert hatte, und deutete auf ein Tablett mit Kaffeekanne und Tassen, das auf seinem Schreibtisch stand. »Bitte bedienen Sie sich.«

Hart setzte sich wieder hinter seinen Schreibtisch, während Maxwell und Thane ihm gegenüber auf zwei Stühlen Platz nahmen.

Nachdem sich jeder eine Tasse Kaffee eingeschenkt hatte, lehnte Hart sich zurück und sah Thane an.

»Geduld scheint nicht gerade Ihre Stärke zu sein«, sagte Hart plötzlich. »Wie ich höre, haben Sie in der Sache Pender bereits auf eigene Faust ein paar Nachforschungen angestellt. Sie waren beim Rauschgiftdezernat und bei der Fahndungsstelle.« Hart runzelte die Stirn. »Ich mag es eigentlich nicht, daß meine Leute so viel Staub aufwirbeln. Das sollten Sie sich in Zukunft merken.«

»Ja, Sir.« Thane holte tief Luft und zog den handschriftlichen Bericht aus der Brusttasche seines Jacketts. »Ich... ich glaube, Sie sollten das mal durchlesen.«

Hart nahm schweigend Thanes Bericht entgegen, setzte seine Brille auf und begann zu lesen. Schließlich legte er das Blatt beiseite, trank einen Schluck Kaffee und musterte Thane ausdruckslos.

»Mehr wissen Sie nicht über den Wagen, der Sie beinahe überfahren hätte?«

Thane schüttelte den Kopf.

»Ist Ihnen klar, was das möglicherweise bedeutet?« Hart gab den Bericht mit grimmiger Miene an Maxwell weiter.

»Ja. Jemand scheint zu wissen, daß ich mich für Pender interessiere.« Thane hielt nichts von Ausflüchten. »Es tut mir leid.«

»Dafür können wir uns nichts kaufen«, murmelte Hart geistesabwesend und trommelte mit den Fingern auf die Schreibtischplatte. Dann sah er Maxwell an. »Was halten Sie davon, Tom?«

»Es sieht wirklich so aus, als wüßte jemand Bescheid, aber sicher ist das nicht«, antwortete Maxwell. »Tja, und falls die Leute im Hotel Thanes Namen erfahren haben, dann dürfte es nicht allzu schwer gewesen sein, herauszufinden, daß er zur Millside Division gehört... oder gehört hat.«

»Ja.« Hart lächelte unvermittelt. »Na ja, aber was tut das schon zur Sache? Gut, Thane, der Rest hat sich bezahlt gemacht. Sie haben die Geschichte mit dem Speyside-Whisky und dem falschen Reporter und dem falschen Sergeanten erfahren. Das sind neue und wertvolle Informationen.« Hart sah Thane mit einem seltsamen Glitzern in den Augen an. »Und wenn sich diese Leute für Sie interessieren, dann können wir Sie immer noch als lebenden Köder verwenden.«

»Wenn wir dadurch weiterkommen... warum nicht?« entgegnete Thane trocken.

Hart lächelte amüsiert. Es war überstanden. Thane atmete auf, während Hart fortfuhr: »Wir werden zuerst die Spur mit dem Speyside-Whisky weiter verfolgen. Mich interessiert vor allem diese Whiskybrennerei, die gerade renoviert wird. Außerdem haben wir noch einen Hinweis, dem wir nachgehen müssen. Francey Dunbar, einer unserer Sergeants ist da auf was gestoßen. Er soll Ihnen selbst alles darüber erzählen.«

»Dunbar ist schon dabei, der Sache nachzugehen«, murmelte Maxwell und warf Hart einen flüchtigen Seitenblick zu. »Vielleicht sollten wir Thane in bezug auf Francey warnen, Sir.«

»Ja, richtig.« Hart seufzte hörbar. »Francey Dunbar kann sehr unbequem sein. Und das macht ihm auch noch Spaß. Aber davon abgesehen, ist er ein ausgezeichneter Polizist. Sie sollten seine Marotten also nicht zu ernst nehmen.« Hart lehnte sich auf seinem Stuhl zurück. »In diesem Zusammenhang will ich Ihnen gleich die Grundregeln für die Zusammenarbeit in unserer Truppe erklären. Ich tue das nur einmal. Jeder, dem ich sie ein zweites Mal auseinandersetzen müßte, ist draußen.«

Er machte eine Pause, und Thane nickte.

»Also gut«, fuhr Hart fort. »Ich habe in meiner Abteilung Männer und Frauen aus sämtlichen Polizeieinheiten des Landes. Ihr seid eine Elitetruppe, aber ich dulde nicht, daß sich einer von euch für so was wie einen Superpolizisten hält. Das seid ihr nämlich nicht, und im übrigen habe ich nichts für Schlägertypen übrig.« Hart wechselte plötzlich das Thema. »Worauf kam es Ihnen bei der Arbeit in Ihrer ehemaligen Abteilung an, Thane?«

»Auf Ergebnisse«, antwortete Thane, ohne viel zu überlegen. »Das hat funktioniert. Es hat nie jemand versucht, mir ein Bein zu stellen.«

»Dasselbe gilt auch hier. Es kommt nur auf Ergebnisse an«, erklärte Hart. »Unsere Leute werden nicht in Watte gepackt. Und wenn einer glaubt, daß er besser unrasiert, ungewaschen und in Bluejeans bei seiner Arbeit vorankommt, dann ist das seine Sache... solange er dabei innerhalb der Grenzen der Legalität bleibt. Das heißt natürlich nicht, daß hier keine Disziplin herrscht. Wir lassen nur jedem den Spielraum, den er braucht, um erfolgreich arbeiten zu können.«

Damit war die Belehrung offensichtlich beendet. Maxwell räusperte sich.

»Ich zeige Ihnen jetzt Ihr Büro«, erbot er sich.

Hart nickte zustimmend, und Thane folgte Maxwell zur Tür. Sie gingen hinaus und einen Gang entlang. Dann öffnete Maxwell eine Tür und trat zur Seite.

»Hier ist es«, erklärte er.

Thane ging in das kleine, spärlich aber funktionell möblierte und mit Teppichboden ausgelegte Büro, und setzte sich probeweise in den bequemen Schreibtischsessel. Vom Fenster aus hatte man einen schönen Blick auf den Park. Dann entdeckte Thane den roten, dicken Umschlag mit der Aufschrift ›Carl Pender‹, der auf seinem Schreibtisch lag.

»Es gibt da noch ein paar Dinge, die Hart unerwähnt gelassen hat«, sagte Maxwell und lehnte sich gegen den Türrahmen. »Sie sind nach mir Harts zweiter Stellvertreter. Falls mir und Hart etwas zustoßen sollte, führen Sie den Laden weiter. Und noch was: Wir halten uns hier nicht mit Papierkram auf. Es ist zum Glück unsere Aufgabe, Verbrecher zu überführen, und nicht, sie mit Notizbüchern totzuschlagen.« Maxwell sah sich im Zimmer um.

»Brauchen Sie noch was? Wenn ja, dann wenden Sie sich einfach an Maggie Fyffe.«

»Danke, ich habe sie bereits kennengelernt«, antwortete Thane und warf einen Blick in die leeren Schreibtischschubladen. »Sie scheint ein sehr freundlicher Hausdrache zu sein.«

»Maggie ist Witwe.« Maxwell zuckte mit den Schultern. »Ihr Mann war Polizist und ist erschossen worden, als er versucht hat, einen Bankräuber zu stellen. Sie ist hier unser Mädchen für alles.« Maxwell wandte sich zum Gehen. »Ich lasse Sie jetzt allein. Francey Dunbar müßte bald kommen.«

Als sich die Tür hinter Maxwell geschlossen hatte, lehnte sich Thane in seinem gepolsterten Schreibtischsessel zurück und öffnete den roten Umschlag.

Er enthielt einen Bericht der dänischen Polizei über Carl Pender. Carl Pender betrieb demnach ein Buchgeschäft in Kopenhagen, wurde jedoch seit ungefähr einem Jahr in den Polizeiakten als Kurier der Drogenszene geführt, ohne daß man ihm bisher etwas hätte nachweisen können.

Pender war ein Mann gewesen, der häufig ins Ausland gereist war, reichlich Kontakte zur Unterwelt unterhalten und alles, was er getan, sorgfältig geplant hatte.

Viel half Thane das auch nicht weiter. Er schob den Bericht beiseite und zündete sich eine Zigarette an. Im nächsten Augenblick klopfte es, und die Tür ging auf.

»Sergeant Dunbar, Sir«, stellte sich der junge Mann vor, der lässig ins Zimmer kam. Er war mittelgroß, schlank, Mitte Zwanzig, und hatte wirres, schwarzes Haar, eine Adlernase und einen Schnauzbart über dem breiten Mund. Er musterte Thane einen Moment interessiert und sagte dann: »Der Boss sagt, daß ich in Zukunft mit Ihnen arbeite.«

Thane nickte. Sein neuer Sergeant trug eine alte Safarijacke, Cordjeans, Rollkragenpullover und hohe Lederstiefel. Thane beobachtete eine Weile schweigend Dunbars Kaubewegungen. »Frühstücken Sie noch?« erkundigte er sich.

»Nein, ich kaue Kaugummi, Sir.« Dunbars Blick schweifte

ungerührt zu Thanes Zigarette. »Ich habe mit dem Rauchen auf-
gehört. Aber... na ja...« Er nahm mit resignierter Miene den
Kaugummi aus dem Mund und warf ihn in den Papierkorb.
»Entschuldigen Sie.«

»Francey«, begann Thane mit sanfter Stimme. »Eines möchte
ich gleich klarstellen. Kauen Sie Kaugummi, wann Sie wollen,
oder laufen Sie auf den Händen, aber bei der Arbeit müssen Sie
spuren, sonst ziehe ich Ihnen persönlich die Hammelbeine lang.«

»Das klingt, als würd's auch weh tun, Sir«, sagte Dunbar grinsend. »Ich werd's nicht vergessen.«

»Okay, dann setzen Sie sich.« Thane deutete auf einen Stuhl.
»Commander Hart hat behauptet, daß Sie 'ne neue Spur entdeckt
haben.«

»Ja, sieht ganz danach aus.« Dunbar stützte die Hände auf die
Stuhllehne und blieb stehen. »Soll ich ganz von vorn anfangen?«

»Ja, aber beschränken Sie sich auf das Wesentliche.«

»Eigentlich ist es purer Zufall gewesen«, berichtete Dunbar.
»Also gestern abend bin ich mit dieser Puppe... einer Stewardeß
von der British Airlines ausgewesen. Sie lebt in London und
fliegt manchmal die Strecke Edinburgh–Glasgow. Und wenn das
der Fall ist...« Dunbar sah das warnende Glimmen in Thanes
Augen und fuhr hastig fort: »Na, jedenfalls hat sie mir erzählt,
daß die Fluggesellschaft seit ungefähr einer Woche Schwierigkeiten wegen eines Bummelstreiks ihres Glasgower Personals
hat. Deswegen mußten schon einige Flüge ausfallen. Die Folge
davon ist, daß die Fluggesellschaft ständig versuchen muß, tele-
fonisch Kontakt mit den Fluggästen aufzunehmen, um Umbu-
chungen vorzunehmen.«

»Weiter«, forderte Thane ihn auf und drückte seine Zigarette
im Aschenbecher aus. »Haben Sie Penders Flug überprüft?«

»Ja, gleich heute morgen. Ich... als mir das Mädchen das gestern abend erzählt hat, ist der Groschen nicht sofort gefallen.
Als Pender aus Kopenhagen hier angekommen ist, hat er, wie das
üblich ist, seinen Rückflug bestätigen lassen. Die Fluggesellschaft hat sich natürlich seine Telefonnummer notiert, unter der

er notfalls zu erreichen sein würde und wo man eine Nachricht für ihn hinterlassen könnte.«

»Und? Hat Pender eine Adresse im Norden angegeben?« Thane lehnte sich gespannt vor. »Francey, falls wir die haben...«

»Nein, es ist eine Adresse hier in Glasgow... besser gesagt die einer Frau, einer gewissen Marion Cooper in der Griffon Street 200. Soviel ich weiß, ist das ein Apartmentblock.« Dunbar sah Thane hoffnungsvoll an. »Soll ich mir die Dame mal ansehen?«

»Holen Sie einen Wagen«, befahl Thane und stand auf. »Wir fahren zusammen hin.«

Wenige Minuten später fuhren sie mit Dunbar am Steuer in einem schmutzigen blauen Ford Cortina davon. Nach der Typenbezeichnung auf dem Heck war der Wagen ein Standardmodell, doch die Zahlen auf dem Tachometer straften das Lügen. Außerdem war ins Handschuhfach auf der Beifahrerseite ein unauffälliges Funkgerät eingebaut.

»Wir haben unsere eigene Funkfrequenz«, erklärte Dunbar und deutete auf das moderne Gerät. »Amateurfunker können nicht mithören. Außerdem mag der Boss keine sauberen Autos, weil die meistens auffallen. Ab und zu werden die Wagen dennoch gewaschen, damit wir sicher sein können, daß sie noch dieselbe Farbe haben.« Dunbar warf Thane einen flüchtigen Seitenblick zu. »Mögen Sie den alten Kombi, den Sie fahren?«

»Sicher, er läuft... und das ist für einen Familienvater die Hauptsache«, antwortete Thane.

»Na, ich habe Maggie jedenfalls gesagt, daß wir in Zukunft den Ford nehmen.« Dunbar bog an einer Ampel nach links ab und lenkte den Wagen durch eine Villengegend. »Ich habe zu Hause eine 750er Honda. Allerdings habe ich kaum Zeit, damit zu fahren.«

»Und wo sind Sie zu Hause?« erkundigte sich Thane und beobachtete den Tachometer. »Auf der Rennstrecke?«

»Nein, Sir.« Dunbar nahm den Fuß vom Gas. »In der Nähe von Edinburgh. Meine Familie wohnt dort.« Dunbar beobachtete im Vorbeifahren prüfend die Straßenschilder. »Die nächste Querstraße muß es sein.«

Kurz darauf bogen sie in die Griffonstraße ein. Es war eine breite Allee, an der rechts und links hübsche Reihenhäuser mit Vorgärten standen. Erst ab dem letztem Drittel der Straße begannen die Apartmentblocks.

»Ich glaube, die Wohnung liegt im ersten Block«, sagte Dunbar stirnrunzelnd. »Ich bin mal mit einem Mädchen gegangen, das hier gewohnt hat. Sie war eine Brünette und...«

»Halten Sie an!« unterbrach Thane ihn streng und deutete auf einen Postboten, der gerade die Straße entlang kam. »Fragen Sie ihn, ob er eine Marion Cooper kennt!«

Francey stoppte am Straßenrand, stieg aus, ging über den Fahrdamm und sprach den Postboten an. Wenige Minuten später kam er wieder zurück und setzte sich ans Steuer.

»Er kennt sie.« Dunbar steckte einen Kaugummi in den Mund. »Sie ist Anfang Zwanzig, blond, aber nicht hübsch und spricht mit englischem Akzent. Angeblich ist sie vor drei oder vier Monaten hier eingezogen und lebt allein... soweit man das beurteilen kann. Viel Post bekommt sie nicht, und die meisten Briefe scheinen Rechnungen zu sein. Außerdem glaubt er, daß sie nachts arbeitet. Wenn er nämlich täglich gegen zehn die Post austrägt, empfängt sie ihn immer im Morgenmantel.«

»Hat der ein Glück«, murmelte Thane sarkastisch. »Besitzt sie denn keinen Briefkasten?«

Dunbar zuckte die Achseln. »Die Dame hat 'ne Zeitlang 'ne Menge eingeschriebener Päckchen bekommen. Sie mußte ihm jedesmal unterschreiben.«

»Weiß er noch, wie diese Päckchen ungefähr ausgesehen haben?« erkundigte sich Thane gespannt.

»Sie waren klein und leicht und es stand meistens ›Vorsicht Glas‹ darauf«, antwortete Dunbar.

»Hm«, murmelte Thane nachdenklich. »Francey, wie viele Reagenzgläser, glauben Sie, braucht man, um heimlich ein Labor einzurichten?«

Francey Dunbars Augen wurden groß. Er machte den Mund auf, blieb jedoch stumm. Schließlich zuckte er unwissend die Achseln.

Sie parkten vor dem Haus Nummer 200, einem siebenstöckigen Apartmentblock, gingen hinein und suchten den Namen Marion Cooper auf der Klingelleiste. Marion Cooper bewohnte, sahen sie, das Apartment F im dritten Stock. Thane und Dunbar fuhren mit dem Lift hinauf. Sie fielen praktisch mit der Tür ins Haus, dessen war sich Thane wohl bewußt. Trotzdem war er entschlossen, dieser einen Spur scharf nachzugehen.

Die Lifttür öffnete sich, und sie betraten einen mit Teppichboden ausgelegten Korridor. Marion Coopers Wohnung lag hinter der dritten Tür auf der linken Seite.

Thane hob den Arm, um auf den Klingelknopf zu drücken.

»Sir!« hielt ihn Dunbar zurück.

Fast im selben Augenblick sah auch Thane die tiefen Kratzspuren am Schloß der Tür. Dunbar drückte mit den Fingerspitzen gegen die Tür. Sie öffnete sich einen Spalt. Er sah Thane an und stieß die Tür dann ganz auf.

Sie gingen hinein. Von dem kleinen viereckigen Vorraum führten drei Türen zu den übrigen Zimmern. Alle drei standen offen. Das erste Zimmer rechts war das Schlafzimmer. Schubladen waren herausgezogen, und im Schrank hingen nur noch leere Bügel. Thane lief zur nächsten Tür.

»Himmel«, seufzte er und hörte, wie Francey Dunbar hinter ihm scharf die Luft einzog.

Genau hinter der Tür lag ein Mann in einer großen Blutlache auf dem Teppich. Sein Gesicht war mit einem Frotteehandtuch bedeckt. Thane bückte sich, hob das Handtuch hoch und wünschte, er hätte es nicht getan. Der Schuß hatte den Mann aus nächster Nähe genau ins Gesicht getroffen.

Thane fluchte unterdrückt, richtete sich auf und sah sich prüfend in dem kleinen Wohnzimmer um. Auch hier waren sämtliche Schubladen einer Kommode aufgezogen und durchwühlt oder geleert worden.

Als Thane sich umdrehte, war Dunbar verschwunden. Er fand den dunkelhaarigen Sergeant schließlich in der Küche wieder.

»Das Badezimmer ist dort, Sir«, erklärte Dunbar und deutete auf eine Tür neben dem Küchenschrank. Seine Stimme klang plötzlich ganz heiser. »Mehr Zimmer gibt's hier nicht. Das Bad ist leer wie die Küche. Haben Sie eine Ahnung wer... wer der Tote sein könnte?«

»Er hat sich mir leider nicht vorgestellt«, antwortete Thane zynisch. Er musterte den blassen Dunbar. »Manchmal ist es kein schöner Anblick.«

»Ich habe schon Schlimmeres gesehen.« Dunbar zuckte mit den Schultern. »Vielleicht gewöhne ich mich nie dran. Was machen wir jetzt?«

»Ich durchsuche ihn und sehe mich dann im Wohnzimmer genauer um«, erwiderte Thane. »Machen Sie die Wohnungstür zu und überprüfen Sie dann den Rest des Apartments.«

Dunbar nickte und ging. Thane kehrte ins Wohnzimmer zurück und beugte sich über den Toten. Dieser war ungefähr dreißig Jahre alt, mittelgroß und kräftig, hatte farbloses Haar und blaue Augen und trug einen feinen goldenen Ring im rechten Ohr. Außerdem hatte er einen eleganten und teuren grauen Anzug mit blauem Hemd und dazu passender Seidenkrawatte an.

Thane durchsuchte vorsichtig die Hosentaschen des Toten und fand Zigaretten, ein Feuerzeug und eine Geldspange mit ungefähr fünfzig Pfund. Als er das Jackett aufknöpfte, pfiff er leise durch die Zähne. Der Tote trug ein Schulterhalfter. Es war leer.

In der Brusttasche des Jacketts entdeckte Thane dann ein Stemmeisen und eine kleine Taschenlampe. Das war alles.

Thane steckte sämtliche Gegenstände an ihre Plätze zurück und sah sich dann nach der Waffe um, die zum Schulterhalfter gehörte. Er konnte sie jedoch nirgends finden. Schließlich überprüfte er das Zimmer. Dabei bemerkte er einige verschmierte und getrocknete Blutspuren auf dem Teppich. Es sah so aus, als sei jemand in das Blut des Toten getreten. Thane richtete sich auf und ging in die Küche.

Francey Dunbar durchsuchte dort gerade die Küchenschränke. Als Thane hereinkam, drehte er sich um und schüttelte den Kopf.

»Sie hat alles mitgenommen, Sir. Kleider, Papiere... alles. Eine umsichtige Dame.« Dunbar rümpfte die Nase. »Die Luft hier ist ziemlich schlecht.«

Thane zog ebenfalls die Luft ein und nickte. »Das kommt vermutlich aus dem Ausguß. Hat sie wirklich nichts zurückgelassen?«

»Nur ein paar Konservenbüchsen und eine halbleere Flasche Whisky... Sie steht dort drüben im Schrank.« Dunbar grinste. »Marion Cooper scheint 'ne Vorliebe für Alkohol gehabt zu haben. Im Mülleimer liegt eine leere Whiskyflasche.«

Thane nickte abwesend, dann fiel ihm plötzlich etwas ein.

»Was für eine Marke bevorzugt sie denn? Malzwhisky oder Verschnitt?« fragte er.

»Oh... keine Ahnung«, mußte Dunbar überrascht zugeben.

»Zeigen Sie sie mir mal.«

Verwirrt öffnete Dunbar den Schrank. Thane betrachtete prüfend das rot-weiße Etikett der Whiskyflasche.

»Glendirk«, sagte Dunbar. »Das ist ein Speyside Malzwhisky.«

»Ich kann auch lesen, Sergeant«, erklärte Thane frostig. »Und was ist mit der anderen Flasche?«

»Dieselbe Marke. Ist das wichtig, Sir?«

»Vielleicht.« Thane sah Dunbars verständnislose Miene. »Es ist sehr wahrscheinlich, daß Pender in der Speyside gewesen ist. Außerdem hat er erzählt, er habe eine Whiskybrennerei besucht. Vielleicht hat diese Whiskymarke etwas damit zu tun. Einen Glendirk gibt's schließlich nicht in jedem Spirituosenladen, Francey. Er wird hauptsächlich für den Export hergestellt.«

»Ich verstehe.« Dunbar steckte die Hände in die Hosentaschen. »Und was halten Sie von dem Durcheinander hier?«

Thane zuckte mit den Schultern. »Der Tote dort drüben ist

kein gewöhnlicher Einbrecher. Er ist verdammt gut gekleidet und trägt ein Schulterhalfter. Vermutlich ist er aus demselben Grund in diese Wohnung gekommen wie wir.«

»Pech für ihn«, murmelte Dunbar und runzelte die Stirn. »Falls Marion Cooper ihn erschossen hat, dann ist sie sicher deshalb verschwunden. Allerdings scheint sie einen kühlen Kopf behalten zu haben. Sie muß ein oder zwei Stunden gebraucht haben, um zu packen und die Wohnung auszuräumen.«

»Marion Cooper hat vermutlich einen Helfer gehabt.« Thane dachte angestrengt nach. Nach dem getrockneten Blut auf dem Teppich unter dem Kopf des Toten zu urteilen, hatte die Schießerei am Vorabend oder noch früher stattgefunden. Die entscheidende Frage war jedoch, warum es dazu gekommen war. Falls Marion Cooper eine Schlüsselfigur im Geschäft mit dem Amphetamin war, dann deutete der Einbruch erneut darauf hin, daß sie nicht die einzigen waren, die sich für die Sache interessierten. Thane kaute einen Moment auf seiner Unterlippe. »Francey, ich lasse Sie jetzt hier allein, um alles Notwendige in die Wege zu leiten.«

»Ich dachte mir schon, daß das kommen würde«, sagte Dunbar resigniert. »Darf ich wenigstens erfahren, was Sie inzwischen vorhaben?«

»Ich fahre mit dem Wagen ins Labor vom Strathclyde Hauptquartier. Sie werden schon irgendwie ins Hauptquartier zurückkommen. Wir treffen uns dann dort.« Thane hob den Zeigefinger. »Rufen Sie aber lieber zuerst den Commander an… für alle Fälle. Erzählen Sie ihm, was wir hier gefunden haben.«

»Soll ich auch die zuständige Polizeidienststelle verständigen?« erkundigte sich Dunbar.

»Ja, aber erst nachdem Sie mit Hart alles geklärt haben«, erwiderte Thane. »Und sobald die Kriminalpolizei eintrifft, sollen die Leute von der Spurensicherung Fingerabdrücke von dem Toten nehmen und sie per Funkbild sofort zur Zentrale nach London durchgeben.«

»Nach London?« Dunbar zog fragend die Augenbrauen hoch.

»Warum?«

»Das ist nur so 'ne Idee von mir«, mußte Thane eingestehen. »Und noch was, Francey: Unterhalten Sie sich mal mit den Nachbarn. Finden Sie heraus, was man über Marion Cooper weiß, was so über sie geredet wird.«

»In Ordnung.« Dunbar kaute einen Moment nachdenklich an seinem Kaugummi. »Ich glaube aber kaum, daß ich viel erfahren werde. In diesen Blocks kann einer Gott weiß wie lange schon tot hinter einer unverschlossenen Wohnungstür liegen, ohne daß es jemand bemerkt.«

Thane nickte, nahm die Autoschlüssel, die Dunbar ihm gab, und ging.

Francey Dunbar seufzte hörbar, als sich die Tür hinter Thane geschlossen hatte. Bevor er sich an die Arbeit machte, genehmigte er sich einen kräftigen Schluck Whisky aus der Flasche in Marion Coopers Küchenschrank.

Matthew Amos, der stellvertretende Direktor des Polizeilabors der Strathclyde Police war in aufreizend guter Stimmung, als Thane zu ihm kam. Normalerweise bedeutete das, daß Amos gerade jemanden geärgert hatte.

»Willkommen in unserer bescheidenen Hütte«, erklärte er mit strahlendem Lächeln und machte eine großzügige Geste in Richtung auf das große, mit modernsten Geräten eingerichtete Labor. »Womit kann ich dienen?«

Thane hatte sich mit Matthew Amos, einem schlanken, immer elegant gekleideten Zivilisten, stets gut vertragen.

»Es geht um die Amphetaminproben«, begann Thane ohne Umschweife. »Sie arbeiten angeblich daran.«

»Haben Sie die Dinger aufgetrieben?« Matt Amos betrachtete Thane mitfühlend. »Wir sind mit der Analyse gerade fertig geworden. Der Bericht ist allerdings noch nicht abgeschlossen. Trotzdem kann ich Ihnen das Wesentliche sagen. Augenblick!«

Er ließ Thane allein, ging durch die Reihen der Laborplätze, an denen Amos' Leute arbeiteten, und blieb neben einem schlanken, dunkelhaarigen Mädchen stehen, das gerade eine Flüssigkeit im Reagenzglas über dem Bunsenbrenner erhitzte. Er sprach kurz mit ihr. Das Mädchen sah sich nach Thane um, lächelte und nickte. Sie war hübsch, hatte strahlend weiße Zähne und eine Figur, die selbst noch unter dem formlosen weißen Kittel, den sie trug, ihre Wirkung nicht verfehlte. Amos gab ihr mit zufriedener Miene einen Klaps aufs Hinterteil und kam dann zu Thane zurück.

»Die Kleine ist neu«, bemerkte Thane.

»Ja, ich habe sie einer Arzneimittelfirma abspenstig gemacht«, erklärte Amos. »Sie hat ein Computergehirn, aber leider kocht sie schlechten Kaffee.« Amos führte Thane in sein Büro und bot ihm einen Stuhl an.

Er selbst nahm auf der Schreibtischkante Platz.

»Wie geht es Phil Moss?«

»Besser. Im Augenblick hat er der Krankenschwesterinnung den Krieg erklärt.«

»Großartig.« Amos grinste. »Also, kommen wir zur Sache, Colin.« Amos wurde ernst. »Sie wissen sicher über Amphetamine Bescheid, oder? Ich meine, wozu sie benutzt werden und so weiter.«

»Ja, ungefähr. Im Moment genügt's.«

Thane bezog seine Kenntnisse aus den Akten des Rauschgiftdezernats. Demnach waren Amphetamine Aufputschmittel, die früher sogar legal bei Depressionen verschrieben worden waren, bis man vorsichtiger wurde.

Amphetamine machten nämlich süchtig und wurden in der Drogenszene als ›Speed‹ geschnüffelt, oral eingenommen oder gespritzt, und manchmal auch mit LSD gemixt. Die Folgen der Amphetaminsucht waren genauso verheerend wie bei anderen schweren Rauschmitteln.

»Als ich noch studiert habe, ist das Zeug an der Uni als ›Wekker‹ oder ›Fitmacher‹ bekannt gewesen.« Amos seufzte. »Viele von uns haben nur so die Prüfungen durchgestanden... Aber das ist lange vor dieser Drogenkatastrophe gewesen. Jedenfalls besaß

Carl Pender ein qualitativ sehr hochwertiges Amphetamin, das beste, das man bekommen kann.«

»Der Hersteller versteht also sein Geschäft?«

»Das kann man wohl sagen«, antwortete Amos. »Das Zeug ist so gut wie vom legalen Hersteller. Der Straßen-Dealer kann es halb und halb mit Kreide mischen, und die Kunden wären noch immer begeistert.«

»Na, prima«, bemerkte Thane bitter. »Wir müssen also nur herausbekommen, wo es gemacht wird. Können Sie sagen, ob es aus den chemischen Substanzen hergestellt wurde, die man in Edinburgh gestohlen hat?«

»Ja und nein.« Amos zuckte mit den Schultern. »Ich habe eine Liste der gestohlenen Chemikalien bekommen. Amphetamin wird tatsächlich aus Chemikalien hergestellt, die auf dieser Liste stehen, aber bei der Analyse habe ich keinen Stoff mit dem Etikett ›Made in Scotland‹ entdecken können.«

»Ich hab' auch nicht erwartet, daß das Zeug in Einwickelpapier mit Schottenmuster gefunden wird«, antwortete Thane. »Aber...«

»Aber nichts«, unterbrach Amos ihn grimmig. »Hören Sie, Colin. Es gibt 'ne Menge verschiedener Kochbuchrezepte für die Herstellung von Amphetaminen. Man findet sie in jeder Leihbibliothek, wenn man weiß, wo man nachsehen muß. Alles, was meine Leute sicher sagen können, ist, daß Penders Proben nach einer Formel hergestellt worden sind, zu der man die Grundstoffe braucht, die in Edinburgh gestohlen wurden.« Amos holte tief Luft. »Ich habe schon mit einigen Untergrundlabors zu tun gehabt, aber das ist das beste. Diese Leute haben einen erstklassigen Chemiker und eine gute Ausrüstung.«

»Einen guten Chemiker, gute Planung und einige gute Kontakte durch Pender«, überlegte Thane laut. »Wo kann man ein solches Labor einrichten?«

»In einem Haus, einer kleinen Garage... sogar im Keller«, antwortete Amos. »Natürlich brauchen sie eine Laboreinrichtung, aber nichts Kompliziertes. Bei der ganzen Sache gibt's eigentlich nur ein Problem... Moment, ich erkläre ihnen das am besten an Hand eines Beispiels.« Amos schaltete mit einem listigen Grinsen seine Sprechanlage ein. »Püppchen, bringen Sie doch mal das hübsche kleine Geschenk für unseren Superintendenten. Sie brauchen es nicht einzuwickeln.« Dann wandte er sich wieder an Thane. »Also, was wollen Sie noch wissen?«

»Nehmen wir mal an, die Produktion läuft auf Hochtouren«, sagte Thane. »Wie hoch ist ungefähr der Tagesumsatz dieser Leute?«

»Na, jedenfalls verdienen sie mehr als wir beide zusammen«, antwortete Amos sarkastisch. »Die in Edinburgh gestohlenen Rohstoffe waren ungefähr sechzigtausend Pfund wert. Der Vorrat reicht aus, um zweiundzwanzig Kilogramm Amphetamin herzustellen. Auf dem freien Markt ist diese Menge gut drei Millionen Pfund wert... Die Hersteller bekommen für ein solches Kontingent ungefähr eine Million. Aber das hängt natürlich davon ab, zu welchen Bedingungen sie verkaufen.«

In diesem Moment klopfte es an die Tür, und das dunkelhaarige Mädchen aus dem Labor kam herein. In der Hand hielt sie ein Reagenzglas, das mit einem Glasplättchen verschlossen war.

»Danke, Betty.« Amos nahm ihr das Reagenzglas ab, und sie verschwand.

Amos sah ihr seufzend nach und machte Thane dann ein Zeichen, näher zu kommen.

»Hier, riechen Sie mal«, forderte er Thane auf und nahm das Glasplättchen vom Glas. »Aber vorsichtig.«

Thane betrachtete stirnrunzelnd das feine braune Pulver im Reagenzglas und roch. Im nächsten Moment fuhr er angewidert zurück. Das Pulver roch nach getrocknetem Urin und saurem Wein.

»Penetrant, was?« Amos nickte vergnügt. »Aber sehr nützlich, deshalb habe ich das Zeug herstellen lassen. So riecht halbfertiges Amphetamin... Wie wenn jemand eine alte Kloake erhitzt hätte. Und der Gestank setzt sich überall fest.«

»Moment.« Thane hielt Amos davon ab, das Glas wieder zu

verschließen, und schnupperte noch einmal vorsichtig daran.

Ebenso, nur nicht so stark, hatte es in der Wohnung von Marion Cooper gerochen.

»Kommt Ihnen dieser Duft bekannt vor?« fragte Amos.

»Ja, ich glaube schon.«

»In Kleidern hält er sich monatelang.« Amos verschloß das Reagenzglas und stellte es auf seinen Schreibtisch. »Wo haben Sie das schon mal gerochen?«

»Heute morgen in einer Wohnung in einem der neuen Apartmentblocks in der Griffon Street. Die Mieterin hat sich aus dem Staub gemacht und einen Toten zurückgelassen. Ein paar Fundstücke aus der Wohnung werden sicher in Ihrem Labor landen.«

»Wie immer«, seufzte Amos. »Aber das Labor, nach dem Sie suchen, befand sich sicher nicht in dieser Wohnung. Die Nachbarn wären verrückt geworden. Der Geruch ist vermutlich nur mit einem Overall oder ein paar Wäschestücken eingeschleppt worden.« Amos ging eine Weile hastig im Zimmer auf und ab und blieb dann abrupt vor Thane stehen. »Colin, es gibt Leute, die halten Amphetamine für Kinderzeug. Das ist ein fataler Irrtum. Haben Sie eine Ahnung, was diese Leute anrichten, wenn sie das Zeug auf den Markt werfen?«

»Ich kann's mir denken.« Thane zog eine Schachtel Zigaretten aus der Tasche und bot Amos an, sich zu bedienen. Doch der Chemiker schüttelte den Kopf. »Sie sagen, daß dieses Amphetamin qualitativ hochwertig ist. Wenn die Leute davon Wind bekommen, die schon im Geschäft sind, was werden sie tun?«

»Alles, um auf die Produktion ihre Hand zu legen«, antwortete Amos. »Die Konkurrenz ist hart und erbarmungslos.«

Thane schwieg, aber das, was Amos sagte, paßte genau ins Bild. Vielleicht war es die Antwort. Eine Antwort, die drei Millionen Pfund wert war, konnte eine Menge Geier anlocken.

Es sei denn, er kam ihnen allen zuvor.

Ein leichter Wind trieb raschelnd trockene Blätter über den Parkplatz, als Colin Thane ins Hauptquartier des Scottish Crime Squad zurückkehrte. Er stellte den Ford hinter dem Gebäude ab, überquerte den Hof und hörte Maggie Fyffe seinen Namen rufen, als er über die Türschwelle trat.

»Zwei Anrufe für Sie«, berichtete sie und kam auf ihn zu. »Der erste stammte von Sergeant Dunbar.« Sie lächelte amüsiert. »Er läßt Ihnen ausrichten, daß er auf dem Weg hierher ist. Francey hat das zwar ein bißchen anders ausgedrückt, aber...« Sie zuckte mit den Schultern. »Der andere kam von einem Mr. Moss. Er möchte, daß sie ihn so bald wie möglich besuchen.«

Thane zog erstaunt eine Augenbraue hoch. »Hat er gesagt, warum?«

»Nein.« Sie schüttelte den Kopf. »Eine Frau hat für ihn angerufen. Mehr hat sie nicht gesagt.«

»Danke.« Thane registrierte unbewußt, daß Maggie Fyffe erstaunlich schöne Beine hatte. »Ist der Commander da?«

»Nein, heute ist doch Mittwoch«, antwortete Maggie Fyffe. »Einmal in der Woche trifft sich Commander Hart mit unseren Zweigstellenleitern in Edinburgh. Aber Tom Maxwell möchte Sie sprechen. Ich sage ihm, daß Sie wieder hier sind.«

Thane bedankte sich und ging den Korridor entlang zu seinem Büro. Auf halbem Weg kam er an einer offenen Tür vorbei und sah neugierig hinein. Es war der Bereitschaftsraum der S.C.S. mit den üblichen Schreibtischen und Telefonen. An den Wänden hingen riesige Karten von Schottland, und nur zwei der Schreibtische waren besetzt. Ein dunkelhaariges Mädchen in Jeans und Pullover las Zeitung, während ein Mann in schwarzer Motorradkombination, eine Melodie vor sich hin summend, vor dem Spiegel gerade eine blonde, langhaarige Perücke abnahm. Sein eigenes Haar darunter war rot und kurzgeschnitten.

Thane zog sich leise zurück und ging in sein Büro, wo er sich aufatmend hinter seinem Schreibtisch niederließ. Das S. C. S. war nicht die Millside Division, und Thane mußte sich an den Unterschied erst noch gewöhnen.

Schließlich griff er nach dem Telefon, rief das West-Krankenhaus an und verlangte die Station, in der Phil Moss lag.

»Stationsschwester«, meldete sich eine energische Stimme.

»Schwester Blair?« Thane hatte die Stimme von Phils Kontrahentin sofort erkannt. »Hier spricht Colin Thane. Man hat mich angerufen…«

»Ja, auf Veranlassung unseres lieben Mr. Moss«, unterbrach Schwester Blair ihn seufzend. »Ich weiß. Er hat darauf bestanden, daß ich Sie anrufe.«

»Ist was passiert?«

»Mit ihm jedenfalls nicht.« Die Stimme der Stationsschwester klang plötzlich unsicher. »Aber Mr. Moss hat bezüglich eines unserer anderen Patienten einen Verdacht. Ich… ich weiß nicht recht, aber mir kommt das alles doch sehr unwahrscheinlich vor.«

»Phil Moss ist ein guter Polizist«, erklärte Thane ruhig.

»Das habe ich mir schon gedacht«, antwortete sie ernst. »Er benimmt sich manchmal nur einfach unmöglich. Aber…«

»Richten Sie ihm aus, daß ich komme. Im übrigen habe ich für Sie vollstes Verständnis.«

Thane legte auf.

Dann holte er das kleine Fläschchen mit der Amphetaminprobe aus der Tasche, roch noch einmal kurz daran und stellte es in seine oberste Schreibtischschublade. Amphetamin im Wert von drei Millionen Pfund, zwei Tote und eine verschwundene Frau… das war für den Anfang eine schwere Hypothek.

Die Tür ging auf, und Tom Maxwell humpelte ins Zimmer.

»Na, versuchen Sie gerade, sich an Ihren Schreibtisch zu gewöhnen?« erkundigte er sich und lehnte sich gegen den Türstock.

»So kann man's auch nennen«, erwiderte Thane gelassen.

»Ich habe eine erfreuliche Nachricht für Sie«, sagte Maxwell. »Die Glendirk Brennerei hat letzte Woche einige dringende Reparaturarbeiten an den Rohrleitungen durchführen lassen. Sie mußten die Produktion praktisch stoppen. Bezüglich der Whiskyflasche haben Sie einen guten Riecher gehabt«, Maxwell grinste. »Was haben Sie übrigens mit Francey Dunbar gemacht? Er arbeitet ja wie besessen an dieser Sache.«

»Oh, ich habe ihm nur harte körperliche Züchtigung angedroht.« Thane kaute nachdenklich auf seiner Unterlippe. »Was habt ihr über unseren toten Einbrecher herausbekommen?«

»Noch nichts. Seine Fingerabdrücke sind bereits in London. Die Kugel, die ihn getötet hat, wird ebenfalls sorgfältig untersucht.«

»Danke.« Thane wußte, daß er daran selbst hätte denken müssen. »Wir sollten uns inzwischen auf diese Cooper und die Whiskybrennerei konzentrieren.«

»Richtig«, stimmte Maxwell ihm zu. »Genau das hat der Boss auch gesagt. Er möchte deshalb, daß Sie noch heute nachmittag in das Speytal fahren.«

»Offiziell oder inoffiziell?« fragte Thane.

»Das können Sie selbst entscheiden.« Maxwell trat ans Fenster und sah zur Schnellstraße hinüber. »Die Glendirk Whisky Brennerei liegt in dem Dorf Crossglen in der Nähe von Aviemore. Maggie Fyffe hat für Sie und Francey Dunbar bereits Zimmer im örtlichen Gasthof reservieren lassen, und wir haben in dieser Gegend einen Kontaktmann, der Sie dort erwartet. Er heißt Angus Russell und ist selbständiger Fotograf. Sie können ihm vertrauen. Wir haben schon öfters mit ihm zusammengearbeitet.«

»Und was ist mit der dortigen Polizei?«

»Im Hauptquartier der Speyside Police weiß man, daß Sie und Dunbar in ihrem Distrikt arbeiten. Die Polizei in Crossglen aber wird davon erst unterrichtet, wenn ihr sie braucht. Maggie hat bei der Zimmerreservierung angegeben, daß Sie und Dunbar Touristen sind. Das ist zwar keine gute Tarnung, aber für den Anfang genügt's.« Maxwell drehte sich zu Thane um. »Was haben Sie im Labor erfahren?«

»Daß es sich bei dem Amphetamin um Stoff handelt, der drei Millionen Pfund wert ist.«

Maxwell zog erstaunt die Augenbrauen hoch und hörte sich mit grimmiger Miene den Rest von Thanes Geschichte an.

»Sonst noch was?« erkundigte er sich lakonisch, als Thane geendet hatte.

»Wir haben Konkurrenz«, antwortete Thane. »Noch jemand hat verzweifelt versucht, die Cooper zu finden, und wußte, daß Carl Pender in der Gegend war. Ich bin sicher, daß die Jagd noch nicht zu Ende ist... Das erklärt den Toten in Marion Coopers Wohnung. Allerdings benehmen sich diese Leute nicht wie interessierte Käufer. Ich nehme an, daß sie die Amphetaminproduktion an sich reißen wollen.«

»Das sind ja reizende Aussichten«, murmelte Maxwell. »Es könnte zu einem Verbrecherkrieg kommen.«

Damit verabschiedete sich Maxwell, und eine halbe Stunde später betrat Dunbar Thanes Büro. Er war verärgert.

»Maggie hat behauptet, wir müßten in den Norden«, begann er und musterte Thane mit düsterer Miene.

»Stimmt«, antwortete Thane. »Wenn das Ihr Liebesleben durcheinanderbringt, dann tut's mir leid.«

»Heute abend nicht«, entgegnete Dunbar mürrisch. »Da müßte ich zu einer Versammlung der Polizeigewerkschaft. Ich bin Abgesandter des S.C.S.«

»Die findet sicher auch ohne Sie statt«, meinte Thane ungerührt. Er nahm das Fläschchen aus Amos' Büro aus der Schublade und gab es Dunbar. »Setzen Sie sich und riechen Sie mal daran.«

Dunbar betrachtete das Fläschchen neugierig und verwirrt zugleich. Schließlich machte er es auf und hielt es unter die Nase. Er verzog angewidert das Gesicht, dann schien er langsam zu begreifen.

»Es sind also nicht die Abflußrohre gewesen, was?« murmelte er.

»Nein, sondern halbfertiges Amphetamin.« Thane zuckte mit den Schultern, nahm ihm das Fläschchen wieder ab und stellte es weg. »Vielleicht ist das Zeug nur vorübergehend in der Wohnung gewesen, aber das spielt jetzt keine Rolle mehr.« Er berichtete Dunbar, was er von Amos erfahren hatte. Dunbars Ärger war plötzlich verflogen. »Okay, jetzt wissen Sie Bescheid, Francey. Was haben Sie inzwischen erlebt?«

»Nichts Aufregendes. Der Polizeiarzt meint, daß der Mann in Marion Coopers Wohnung gestern gegen Mitternacht erschossen worden ist.«

»Gegen Mitternacht«, wiederholte Thane nachdenklich, und plötzlich kam ihm eine Idee. »Francey, hat Marion Cooper einen Wagen?«

Dunbar nickte. »Ja. Ich habe mit dem Hausmeister des Wohnblocks gesprochen. Er sagte mir, daß sie einen blauen Austin fährt.« Dunbar machte eine Pause. »Ich habe gehört, daß Sie gestern nacht beinahe von einem Auto dieses Typs überfahren worden sind.«

»Danach könnten sie nach Hause zurückgekehrt sein und in der Wohnung einen Besucher vorgefunden haben.« Thane kaute auf seiner Unterlippe. Es paßte alles zusammen. »Was ist mit den Nachbarn?«

Dunbar zuckte die Achseln. »Die meisten sind nicht zu Hause gewesen. Der ganze Block steckt voller berufstätiger Frauen.«

»Dann sorgen Sie dafür, daß jemand versucht, sie abends zu erreichen«, wies Thane ihn ungeduldig an. »Was wird so über Marion Cooper geredet?«

»Nur ein paar scheinen ihr überhaupt mal begegnet zu sein«, erwiderte Dunbar resigniert. »Und keine der anderen Bewohnerinnen des Hauses ist je bei ihr im Apartment gewesen... obwohl einige versucht hatten, mit Marion Cooper Bekanntschaft zu schließen.« Er schüttelte den Kopf. »Außerdem scheint sie selten zu Hause gewesen zu sein. Manchmal war sie eine Woche, manchmal auch länger weg. Die höflicheren Nachbarn glauben, daß sie so was wie 'ne Vertreterin ist.«

»Was ist mit Männerbekanntschaften?«

»Alles, was die Nachbarn sagen können, ist, daß sie manchmal nachts Schritte auf dem Korridor gehört haben«, erwiderte Dunbar seufzend, »meistens sogar von mehreren Personen auf einmal... und immer spät abends. Beschreiben konnten sie niemanden.« Dunbar strich seinen Schnurrbart glatt. »Der Hausmeister ist auch keine große Hilfe gewesen. Für ihn war Marion Cooper eine Mieterin wie jede andere. Die Miete wurde immer im voraus und in bar bezahlt.«

»Na gut.« Thane warf einen Blick auf seine Uhr. Es war kurz vor eins. »Weil es heute mein erster Tag hier ist, lade ich Sie zum Essen ein. Aber erzählen Sie mir bloß nichts über diese idiotische Gewerkschaftsversammlung.«

Dunbar grinste und stand auf.

Sie speisten in einem kleinen Restaurant gut zu Mittag, unterhielten sich über private Dinge und trennten sich dann. Thane fuhr direkt in das West-Krankenhaus.

Stationsschwester Blair nickte Thane nur kurz zu, als er ihr im Gang begegnete, und verschwand dann in einem anderen Zimmer.

»Danke, daß du gekommen bist«, empfing Moss seinen ehemaligen Chef. Obwohl er noch blaß war, schien es ihm bereits wesentlich besser zu gehen. »Schwester Drakula hat mir schon ausgerichtet, daß du kommen wirst.«

»Dein Anruf hat mich neugierig gemacht.« Thane zog einen Stuhl an Phils Bett. »Was gibt's?«

»Hier ist es so langweilig, daß man sich die Zeit damit vertreibt, die anderen zu beobachten.« Moss senkte die Stimme. »Erinnerst du dich, daß ich dir von dem Mann mit dem Blinddarmdurchbruch erzählt habe? Diesem John Gillan?«

»Ist das der auf der anderen Seite neben der Tür?«

»Ja, aber schau jetzt bitte nicht hin.« Moss warf Thane einen warnenden Blick zu. »Hör mir einfach nur zu.«

»Okay, okay... Schieß los. Was ist mit ihm?«

»Er hat sich ziemlich schnell wieder erholt... In Schwester Drakulas Station stirbt nämlich niemand ohne ihre ausdrückliche Erlaubnis. Na, jedenfalls hatte Gillan gestern, kurz nachdem du gegangen warst, Besuch... und abends wieder. Und Gillan war danach völlig verängstigt.« Moss schnitt eine Grimasse. »Er hat die ganze Nacht kein Auge zugemacht.«

»Du offensichtlich auch nicht.« Thane seufzte. »Und wer hat Gillan besucht?«

»Ein Mann und eine Frau. Die Frau ist ungefähr dreißig, blond und offensichtlich unverheiratet. Gillan ist übrigens auch ledig. Der Mann...« Phil Moss richtete sich auf den Ellbogen auf. »Colin, wann hast du Charlie Grunion zum letzten Mal gesehen?«

»Der sitzt doch noch«, sagte Thane rasch. »Er hat sieben Jahre gekriegt.«

»Dann hat er einen Doppelgänger«, flüsterte Moss. »Aber vielleicht trifft es auch zu, daß er wegen guter Führung schon vorzeitig entlassen worden ist. Er ist hier gewesen, Colin. Und er hat Gillan einen furchtbaren Schrecken eingejagt.«

Thane runzelte nachdenklich die Stirn. Charlie Grunion war ein harter, gefährlicher Mann... ein Spezialist mit dem Messer und mit Sprengstoffen. Er hatte zuletzt sieben Jahre Zuchthaus bekommen, weil er einen Banksafe aufgesprengt und versucht hatte, einen der beiden Polizisten, die ihn verhaften wollten, niederzustechen.

»Hat Grunion dich erkannt?« fragte Thane.

»Hier im Bett und so wie ich jetzt aussehe? Niemals. Außerdem weiß nur Schwester Blair, daß ich Polizist bin. Im übrigen haben wir von der Millside Division nie was mit Grunion zu tun gehabt.«

Thane nickte. »Na gut. Er hat Gillan also die Hölle heiß gemacht. Was weißt du über Gillan?«

»Er ist zweiunddreißig Jahre alt, Fernfahrer aus Glasgow, und wohnt irgendwo zur Untermiete«, antwortete Moss. »Mehr war aus Schwester Drakula nicht rauszubekommen. Aber vielleicht hast du mehr Glück bei ihr.«

»Ich werd's jedenfalls versuchen«, versprach Thane. »Ich werde mich mal umhören. Sobald ich mehr weiß, melde ich mich wieder. Allerdings muß ich vorerst für ein paar Tage in das Speytal fahren.«

»Mist«, zischte Moss und legte sich in die Kissen zurück. »Nimm dich vor der reizenden Stationsschwester in acht. Sie ist heimtückisch.«

Auf dem Weg zur Tür sah Thane unauffällig zu Gillans Bett hinüber, doch der Patient hatte die Decke über den Kopf gezogen und schien zu schlafen. Jedenfalls mußte aber Thane Moss recht geben: Jeder, der einen Mann wie Charlie Grunion zum Besucher hatte, war für die Polizei interessant.

Thane blieb auf dem Flur vor dem Stationszimmer stehen, klopfte an und ging hinein.

Schwester Blair räumte gerade Verbandszeug auf. »Darf ich die Tür zumachen?« fragte Thane.

»Ja, es ist mir sogar lieber.« Schwester Blair wirkte nervös. »Nun, Superintendent?«

»Es könnte in Ihrer Station Schwierigkeiten geben«, eröffnete ihr Thane. »Im Augenblick möchte ich gern mehr über diesen Mr. Gillan wissen.«

»Tut mir leid, aber unsere Informationen über die Patienten sind streng vertraulich.« Die Schwester schüttelte energisch den Kopf. »Es könnte mich meine Stelle kosten.«

Thane nickte verständnisvoll. »Trotzdem könnten Sie mir sehr helfen ... ich habe ein verdammt schlechtes Namensgedächtnis.«

Schwester Blair zögerte.

»Die Patientenakten, welche die Station hat, sind alle in dem Aktenschrank dort drüben«, erklärte sie dann. »Er ist nicht verschlossen.« Dann wandte sie Thane den Rücken zu und beschäftigte sich wieder eingehend mit ihrem Verbandszeug.

Thane öffnete den Schrank, fand Gillans Akte und blätterte sie hastig durch.

Die Personenbeschreibung war kurz, enthielt jedoch alles, was

Thane brauchte. John Gillan, wohnhaft in der Dellus Street 26 in Glasgow, Beruf Fernfahrer, angestellt bei der Firma Lancer Transport, Riverhead Quay, war um elf Uhr abends auf der Straße zusammengebrochen. Ein anonymer Passant hatte den Notarzt gerufen. Als nächster Verwandter war ein Bruder, Peter Gillan, angegeben, der in Liverpool wohnte.

Thane prägte sich die Adressen ein, gab die Akte in den Schrank zurück und wandte sich dann an Schwester Blair.

»Ich bin fertig«, sagte er. Die Schwester nickte, ohne sich umzudrehen.

Thane fuhr von der Klinik direkt nach Hause, stellte den Wagen in der Einfahrt ab und ging hinein. Außer dem Hund war niemand da. Erst jetzt fiel Thane ein, daß Mary jeden Mittwochnachmittag in einem Altenclub aushalf. Er machte sich eine Tasse Kaffee und rief dann die Fahndungsabteilung im Polizeipräsidium an.

»Es geht um einen Safeknacker namens Charlie Grunion«, erklärte er dem diensthabenden Beamten. »Zuletzt hat er sieben Jahre bekommen. Seit wann ist er wieder auf freiem Fuß?«

Der Beamte bat Thane, einen Augenblick zu warten. Wenige Minuten später war er wieder am Apparat.

»Grunion ist vor zwei Monaten wegen guter Führung entlassen worden«, berichtete er. »Soviel uns bekannt ist, hat er sich nach London abgesetzt.«

»Er ist wieder in der Stadt«, entgegnete Thane. »Grunion wurde mit einer aufreizenden Blondine gesehen. Könnten Sie das mal überprüfen?«

»Wir versuchen's jedenfalls. Plant er irgendwas?«

»Möglich«, antwortete Thane. »Deshalb rufe ich ja an.«

Thane legte auf und dachte nach. John Gillans Wohnung in der Dellus Street lag im Distrikt der Marine Division, aber für die Adresse der Firma Lancer Transport am Riverhead Quay war die Millside Division zuständig.

Er rief die Millside Division an und verlangte Chefinspektor Andrews.

»Haben Sie bei uns was vergessen, Superintendent?« erkundigte sich sein Nachfolger höflich, aber zurückhaltend.

»Nein«, erwiderte Thane. Er konnte sich vorstellen, was Andrews dachte. Sicher hatte er, auch ohne daß sich sein Vorgänger in seine Angelegenheiten einmischte, keinen leichten Stand. »Mich interessiert die Firma Lancer Transport am Riverhead Quay. Ich habe da was läuten hören, daß es jemand auf sie abgesehen haben könnte.«

»Wann?« erkundigte sich Andrews hellwach.

»Ich sagte ›könnte‹, Chefinspektor«, besänftigte Thane ihn. »Ich weiß nichts Bestimmtes. Trotzdem wäre es ganz gut, wenn ihr euch mal unauffällig um die Firma kümmern würdet.«

»Das werden wir tun«, versprach Andrews. »Ich melde mich wieder.«

»Danke, es eilt nicht.« Thane legte auf. Mehr konnte er im Augenblick für Moss nicht tun.

Zwanzig Minuten später fuhr Francey Dunbar mit dem blauen Ford draußen am Haus vor, hupte zweimal und wartete im Auto auf Thane.

Thane hatte bereits seine Reisetasche gepackt und sich umgezogen. Er trug jetzt einen unauffälligen, alten Tweedanzug, hatte Mary ein paar Zeilen hinterlassen, verabschiedete sich vom Hund und verließ das Haus.

»Na, Sie sehen ja aus wie der Landgraf persönlich«, begrüßte Dunbar ihn mit gespielter Bewunderung. Er selbst hatte Bluejeans, ein rotes Wollhemd, einen wattierten Anorak und Fallschirmjägerstiefel an.

»Und was haben Sie in diesem Aufzug vor, Francey?« konterte Thane frostig. »'ne Himalayaexpedition?«

»Das ist meine Überlebenskluft«, antwortete Dunbar. »Dort oben im Norden kann's verdammt kalt werden.«

Thane warf seine Reisetasche auf den Rücksitz und bedeutete Dunbar, ihn ans Steuer zu lassen. Der Sergeant rutschte mit beleidigter Miene auf den Beifahrersitz.

»Hübsches Haus und hübsche Gegend«, bemerkte Dunbar, als Thane anfuhr. »Sie haben's zu was gebracht.«

»Das kann nur jemand behaupten, der nicht weiß, wie hoch die Hypothekenzinsen zur Zeit sind«, entgegnete Thane sarkastisch.

»Ich habe ein Einzimmerapartment in der Nähe von Queen's Park.« Dunbar lehnte sich in die Polster zurück und deutete grinsend auf zwei Kinder mit wirren Haaren in Schuluniform, die am Randstein mit einer Schultasche Fußball spielten. »Da, sehen Sie sich diese Bälger mal an.«

»Das sind meine«, erklärte Thane seufzend, hupte und winkte Tommy und Kate im Vorbeifahren kurz zu. »Gibt's schon was Neues über unseren Toten?«

»Wir haben seine Fingerabdrücke nicht in der Kartei, aber wir warten noch auf die Antwort aus London.« Dunbar steckte einen frischen Kaugummi in den Mund. »Superintendent Maxwell hat mich gebeten Ihnen auszurichten, daß die Kugel, die ihn getötet hat, aus einer Neunmillimeter-Luger stammt. Es handelt sich um dieselbe Waffe wie zuvor. Er dachte, es würde Sie interessieren.«

»Erinnern Sie mich daran, daß ich mich dafür bei ihm bedanke«, erwiderte Thane ernst.

»Nicht gerade eine Damenwaffe, was?« bemerkte Dunbar.

»Das kommt auf die Dame an«, entgegnete Thane.

Dunbar nickte und schwieg.

Es war ein guter Tag gewesen, sie hatten einen schnellen Wagen und die A 9 war die Hauptverbindungsstraße in Schottlands Norden. Trotzdem mußten sie für die Fahrt ins Speytal ungefähr vier Stunden rechnen.

Über Stirling und Perth erreichten sie das Dorf Birnam und schließlich den Paß von Killicrankie, hinter dem das eigentliche schottische Hochland begann. Dann tauchten das Speytal und die erste Whiskybrennerei vor ihnen auf.

Die Straße führte jetzt zwischen steilen Felsen und grünen Weiden am gewundenen, rauschenden Fluß entlang. In den Dörfern begegneten sie Touristenbussen, und überall an der

Straße gab es Souvenirläden mit schottischen Wolldecken und Taschen aus Hirschleder. Die Fahrt war anstrengend gewesen, und Thane atmete erleichtert auf, als die ersten modernen Hotels von Aviemore vor ihnen auftauchten.

Dort bog Thane nach Crossglen ab. Die schmale Straße führte in östlicher Richtung wieder in die Berge. Nach ungefähr acht Kilometern umfuhren sie einen kleinen See. Der Wagen holperte über eine Eisenbrücke. In der Abenddämmerung tauchten die Häuser eines kleinen Dorfes vor ihnen auf, aber noch bevor sie die Siedlung erreicht hatten, bogen sie nach rechts in den Parkplatz des Ironbridge Hotel ein. Das Ironbridge Hotel war ein langgestrecktes, modernes Gebäude, das geduckt am Fuß eines bewaldeten Hügels lag.

Das Mädchen am Empfang trug eine Schottenweste und Kilt und betrachtete Francey Dunbar wohlwollend, als sich die beiden in das Gästebuch eintrugen. Ihre Zimmer lagen in einem langen Korridor im Parterre und waren klein, aber sauber und gemütlich eingerichtet. In seinem Zimmer packte Thane seine Reisetasche aus und trat dann ans Fenster. Von hier aus konnte man zu dem bewaldeten Hügel und einer Ponykoppel hinübersehen. Es war schon fast dunkel, und Thane erkannte eigentlich nur mehr die Umrisse der zottigen Tiere.

Der Himmel war sternenklar, und es versprach eine kalte Nacht zu werden. Thane drehte die Heizung etwas weiter auf und ging dann in die Hotelbar.

Francey Dunbar saß dort bereits an der Theke. Aber Dunbar war nicht allein. Er unterhielt sich mit einem Mann, der Thane prüfend und neugierig musterte, als dieser näher kam.

»Guten Abend«, begrüßte der Fremde den Superintendenten gelassen. »Ich bin Angus Russell. Heh, hol' mir noch 'nen Whisky, Junge!«

Die Aufforderung war an Dunbar gerichtet. Zwei Whiskygläser standen bereits auf der Theke. Francey Dunbars Glas war noch halb voll, während das Russells bereits leer war.

»Ich spendiere die nächste Runde«, erklärte Thane und gab

dem Mädchen hinter der Bar ein Zeichen. Dann wandte er sich Russell zu, der ihr Verbindungsmann sein sollte.

Angus Russell war klein und untersetzt, hatte eine Glatze und eine von Wind und Wetter gegerbte Haut. Thane schätzte ihn auf Mitte Sechzig. Russell hatte einen mehrere Tage alten Stoppelbart im Gesicht und trug eine alte Lammfelljacke über einem groben Wollpullover, außerdem khakifarbene Breeches, dicke Wollsocken und Bergstiefel. Über der Schulter hing eine Kleinbild-Kamera.

»Wissen Sie, weshalb wir hier sind?« fragte Thane ihn.

»Nein, noch nicht.« Russell grinste und entblößte dabei eine breite Zahnlücke. »Aber ich habe dem Jungen hier schon erklärt, daß ich sowieso nie überprüfen kann, ob ihr mir die Wahrheit sagt.«

Francey Dunbar sah Russell mit finsterer Miene an. Thane bezahlte die Drinks, und sie setzten sich an einen freien Tisch. Es war noch früh am Abend, und die Bar war erst spärlich besetzt.

»Also, womit kann ich dienen?« sagte Russell. »Interessiert Sie mein fachliches Können oder der Dorfklatsch?« Russell musterte Dunbar und Thane mit einem amüsierten Lächeln. Dann zwinkerte er Thane zu. »Ihr Sergeant gäbe in diesem Aufzug ein gutes Bild ab. Ich könnte es vielleicht an ein Magazin für Großwildjäger verkaufen.«

»Soll das heißen, daß Sie mit der Kamera wirklich umgehen können?« entgegnete Dunbar sarkastisch.

»Natürlich, mein Junge. Hochzeiten, Schulfeiern, Babys auf Bärenfellen... Damit verdiene ich mir meinen Lebensunterhalt. Am liebsten fotografiere ich allerdings in den Bergen und mache Landschaftsaufnahmen.« Er wandte sich an Thane. »Also?«

»Letzte Woche ist ein Mann hier in der Gegend gewesen.« Auf ein Zeichen von Thane zog Dunbar eine Fotografie aus der Tasche und legte sie vor Russell auf den Tisch. »Er ist jetzt tot. Sein Name war Carl Pender. Wir möchten gern wissen, wo genau er hier gewesen ist und wen er getroffen hat.«

»Aha.« Russell betrachtete das Bild aufmerksam. »Ist das die

Vergrößerung von seinem Paßfoto?«

»Ja«, antwortete Thane. »Pender war Däne, sprach aber ausgezeichnet Englisch. Er fuhr einen grünen Crysler Avenger. Das ist ziemlich alles, was wir von ihm wissen.«

»Das Speytal ist verdammt groß«, bemerkte Russell verdrossen. »Eine Touristengegend. Was glauben Sie, wie viele Tausende von Leuten hier jede Woche durchkommen? Und zwar zu jeder Jahreszeit.« Russell steckte das Foto ein. »Ich werde mich mal umhorchen.«

Thane runzelte die Stirn. »Je weniger Leute damit befaßt werden, desto besser. Wir können keine Publicity brauchen.«

»Keine Angst, ich gehe mit dem Bild nicht hausieren«, entgegnete Russell gelassen und trank einen Schluck Whisky. »Glauben Sie, daß Pender unter seinem richtigen Namen hier auftrat?«

»Keine Ahnung«, antwortete Thane. »Aber wir haben Grund zu der Annahme, daß er geschäftlich hier gewesen ist. Möglicherweise sogar hier in Crossglen.«

Russell zog interessiert die Augenbrauen hoch. »Dann hat er vielleicht auch in diesem Hotel gewohnt.«

»Nein«, warf Dunbar ein. »Das habe ich schon überprüft... wenigstens so gut es ging.«

»Ich habe mich, offen gestanden, gewundert, warum Sie ausgerechnet im Ironbridge abgestiegen sind«, sagte Russell. »Eigentlich wäre eines der großen Hotels in Aviemore ein besserer Standort für Sie gewesen. Aber natürlich gibt es hier 'ne Menge Übernachtungsmöglichkeiten. Vielleicht hat dieser Pender auch bei den Leuten gewohnt, mit denen er sich hier getroffen hat.« Russell betrachtete nachdenklich seine Kamera. »Sie haben vorhin gesagt, Pender könne geschäftlich hier gewesen sein. Um was für ein Geschäft würde es sich dann handeln?«

Thane schüttelte den Kopf. »Das ist allein unsere Angelegenheit.«

»Danke«, bemerkte Russell sarkastisch, doch sein Gnomengesicht blieb ausdruckslos. »Also gut, was gibt's noch?«

»Was wissen Sie über die Glendirk Brennerei?« fragte Thane.

»Daß sie einen verdammt guten Whisky herstellt«, erwiderte Russell anerkennend und sah Thane erstaunt an. »Viele Leute vergleichen ihn mit dem Tamnavulin Malzwhisky drüben am Fluß Livet... und das ist kein schlechtes Zeugnis.«

»Pender hat die Glendirk Brennerei besucht«, sagte Dunbar.

»Das tun täglich viele Leute«, erklärte Russell. »Junge, dort werden Führungen organisiert, und jeder Besucher bekommt ein Glas Whisky auf dem Rundgang, und dann lassen sie dich erst wieder raus, wenn du ein oder zwei Flaschen gekauft hast.«

»Trotzdem möchte ich mehr über die Firma Glendirk wissen«, beharrte Thane.

»Wenn Sie unbedingt Ihre Zeit verschwenden wollen, bitte.« Russell zuckte die Achseln. »Die Glendirk-Whiskybrennerei ist klein, alteingesessen, aber sie ist modern eingerichtet. Ein Familienunternehmen. Der letzte männliche Besitzer war ein Mann namens Fraser. Er ist vor ein paar Jahren gestorben. Seine Tochter Margaret hat die Firma geerbt. Ihr Mann Robin Garrett, ein Kanadier, leitet das Unternehmen jetzt.«

»Kennen Sie ihn?«

»Natürlich.« Russell grinste. »Als wir uns das letzte Mal getroffen haben, habe ich ihn einen Vollidioten genannt. Wir hatten eine kleine Auseinandersetzung.« Russell schüttelte den Kopf. »Garrett ist aber in Ordnung. Er hat es nicht nötig, krumme Geschäfte zu machen. Eine gute Whiskybrennerei bringt heutzutage viel Geld ein... trotz der hohen Steuern.«

»Vielleicht kann Garrett uns trotzdem weiterhelfen«, sagte Thane nachdenklich. »Ich würde ihn gern kennenlernen.« Er dachte einen Augenblick nach. »Wissen Sie vielleicht etwas über ein Mädchen namens Marion Cooper? Sie ist blond, Mitte Zwanzig, nicht besonders hübsch...«

»...und fährt einen blauen Austin«, ergänzte Francey Dunbar kopfnickend.

»Nein, die kenne ich nicht.« Angus Russell verzog keine Miene.

»Und was ist mit einem Mann namens Chester? Er ist ebenfalls

Mitte Zwanzig, hat ein blasses Gesicht und lange schwarze Haare«, fuhr Thane fort zu fragen.

Russells Mundwinkel zuckten unsicher und ein nachdenklicher Ausdruck trat in seine Augen, doch dann schüttelte er nur den Kopf.

»Tut mir leid, aber da kann ich nicht helfen. Warum sind diese Leute wichtig?«

Bevor Thane etwas antworten konnte, zischte Francey Dunbar eine Warnung. Das Mädchen vom Empfang kam auf sie zu.

»Ein Anruf für Sie, Mr. Thane«, verkündete sie und hatte nur Augen für Dunbar. »Ich habe vorhin gesehen, wie Sie in die Bar gegangen sind.«

Thane folgte ihr in die Eingangshalle, betrat die Telefonzelle neben dem Empfang und hob den Hörer ab, als es klingelte.

»Habe ich Sie bei einem Whisky gestört?« erkundigte sich Maggie Fyffes Stimme am anderen Ende.

»Macht nichts. Francey paßt auf, daß ihn mir inzwischen keiner austrinkt.« Thane sah zum Empfang hinüber. Das Mädchen saß hinter der Theke und las Zeitung. Die Telefonvermittlung war leer. »Also, was gibt's?«

»Sie wollten doch mehr über den toten Einbrecher aus Mary Coopers Wohnung wissen«, antwortete Maggie Fyffe im Plauderton. »Seine Fingerabdrücke stimmen mit denen eines Londoner Stammkunden der Polizei namens Morrie Pascall überein. Pascall ist wegen Raubüberfalls, Einbruchs und schwerer Körperverletzung vorbestraft...«

»Für wen hat er gearbeitet?« fragte Thane hastig.

»Für keinen Bestimmten«, erwiderte Maggie beinahe entschuldigend. »Aber er scheint ziemlich teuer zu sein. Sein Revier sind die einschlägigen Clubs in Soho.«

»Hm, na, das ist wenigstens etwas«, log Thane und versuchte sich seine Enttäuschung nicht anmerken zu lassen. Jedenfalls wußte er jetzt, daß die Leute, die sich noch für die Amphetamin-Produktion interessierten, sicher keine Amateure waren. »Sonst noch was?«

»Nein, Superintendent. Es sei denn, es interessiert Sie, daß mir die Füße weh tun und ich zum zweiten Mal in dieser Woche Überstunden mache und deshalb auf mein Lieblingsprogramm im Fernsehen verzichten muß. Auf Wiedersehen und genießen Sie Ihren Drink.«

Thane verabschiedete sich und hängte ein. Er drehte sich um, wollte die Glastür der Telefonzelle öffnen und erstarrte. Eine Gruppe von Leuten ging gerade durch die Drehtür des Hotels hinaus, und im selben Augenblick kam ein Mann im blauen Anorak herein. Es dauerte nur eine Sekunde, bis Thane das blasse Gesicht und das lange, schwarze Haar wiedererkannte. Ihre Blicke trafen sich.

Der junge Mann wirbelte herum und war bereits wieder draußen, als Thane aus der Telefonzelle sprang, brutal ein paar ältere Leute zur Seite stieß und hinausrannte. Vor der Tür sah er den jungen Mann am Hotel entlanglaufen und sprintete hinterher.

Der Flüchtige hatte inzwischen das Ende der Gebäudefront erreicht und verschwand in der Dunkelheit. Thane gab nicht auf. Er steigerte sein Tempo. Irgendwo in der Nähe hörte er leises Wiehern und wußte, daß er bei der Pferdekoppel hinter dem Haus sein mußte, die er von seinem Zimmer aus gesehen hatte.

Thanes Atem ging nur noch stoßweise, aber im schwachen Mondlicht erkannte er, daß der Vorsprung des Trägers des blauen Anoraks immer kleiner wurde. Der Bursche kämpfte sich jetzt durch ein kniehohes Dornengestrüpp... doch Thane hielt mit. Plötzlich sah Thane, wie der Flüchtige vor ihm kurz zögerte und dann scharf nach rechts abbog.

Keuchend erkannte Thane seine Chance. Er wechselte ebenfalls die Richtung und lief auf felsigem Untergrund diagonal auf den Burschen zu, um ihm den Weg abzuschneiden. Dichtes Gebüsch tauchte vor ihm auf, er preschte durch und dann hatte er plötzlich keinen Boden mehr unter den Füßen.

Er fiel, überschlug sich und landete auf dem steinigen Boden eines tiefen Grabens. Benommen taumelte er auf die Beine und duckte sich sofort wieder, als aus der Dunkelheit ein schwerer

Stein auf ihn zusauste und dicht neben ihm auf den Boden schlug.

Kurz darauf folgte ein zweiter Stein, dann hörte er, wie sich Schritte schnell entfernten.

Thane gab auf. Schwer atmend sah er sich erst einmal um und begriff langsam, was geschehen war.

Er stand in einem trockenen Drainagegraben, der gut zwei Meter breit und ebenso tief war. Zu seiner Linken gähnte dunkel die runde Öffnung eines ehemals überdeckten Kanalrohres. Dieses Loch hatte den Mann mit dem blauen Anorak dazu veranlaßt, seinen Kurs abrupt zu ändern, und Thane war blind in die Falle gegangen, die man ihm bewußt oder unbewußt gestellt hatte.

Thane fluchte unterdrückt, kletterte aus dem Graben, stolperte zu dem dichten Gebüsch, durch das er sich wenige Minuten zuvor gekämpft hatte, machte noch einen Schritt vorwärts und blieb sofort stehen, als vor ihm der starke Strahl einer Taschenlampe aufflammte und ihm direkt ins Gesicht leuchtete.

»Haben Sie Schwierigkeiten?« erkundigte sich eine Männerstimme gelassen. »Sie sehen aus, als brauchten Sie Hilfe.«

»Danke, mit mir ist alles in Ordnung. Ich bin nur in den Graben gefallen«, antwortete Thane.

Das grelle Licht blendete ihn, doch er erkannte in einiger Entfernung die Silhouetten von zwei Menschen. Einer konnte eine Frau sein, aber er war nicht sicher. Thane hob schützend die Hand vor die Augen. »Bitte leuchten Sie mir nicht direkt in die Augen.«

»Entschuldigen Sie.« Der Strahl der Taschenlampe senkte sich etwas. Dann sagte der Mann: »Sie haben etwas fallenlassen. Dort neben ihren Füßen...«

Thane sah automatisch zu Boden. Er hörte ein Rascheln, dann traf ihn ein schwerer Schlag am Hinterkopf. Er fiel vornüber und verlor das Bewußtsein.

Das letzte, was er hörte, war das Lachen einer Frau.

Colin Thane kam nur langsam wieder zu sich. Er spürte einen pochenden Schmerz an Schläfen und Hinterkopf und merkte dann, daß er flach auf dem Rücken lag. Das machte ihn stutzig, denn er glaubte sich zu erinnern, kopfüber zu Boden gefallen zu sein.

Noch immer benommen und verwirrt setzte er sich auf und tastete vorsichtig die Beule an seinem Hinterkopf ab. Die Stelle brannte wie Feuer, aber die Haut war nicht verletzt. Thane vermutete, daß Teile der Taschenlampe, mit der er niedergeschlagen worden war, aus Hartgummi bestanden hatten.

Er warf einen Blick auf das Leuchtzifferblatt seiner Uhr und stellte fest, daß er nur wenige Minuten bewußtlos gewesen sein konnte. Thane horchte angestrengt in die Dunkelheit hinein. Er war allein, vollkommen allein. Nur das leise Rauschen des Windes war zu hören. Thane zündete sich eine Zigarette an und entdeckte im flackernden Schein des Feuerzeugs, daß seine Brieftasche und sein Dienstausweis neben ihm auf dem Boden lagen. Jetzt begriff er, warum man ihn auf den Rücken gerollt hatte.

Thane steckte beides wieder in die Brusttasche seines Jacketts, zog ein paarmal an der Zigarette, warf sie dann weg und stand mühsam auf.

Mit unsicheren Schritten ging er zurück auf die Lichter des Ironbridge Hotels zu. Er hatte ungefähr den halben Weg zurückgelegt, als er einen erstaunten Ausruf hörte. Im nächsten Moment flammte eine Taschenlampe auf, und Francey Dunbar tauchte, gefolgt von Angus Russell, aus der Dunkelheit auf und rannte auf ihn zu.

»Was, um Himmels willen, ist denn mit Ihnen passiert?« fragte Dunbar, der eine Taschenlampe in der Hand hielt und ihn eingehend betrachtete. »Sie sehen aus, als hätten Sie einen Kampf gehabt…«

»...und verloren«, ergänzte Russell trocken. »Ist mit Ihnen alles okay?«

»Nein, das ist es nicht!« fauchte Thane.

»Na, so schlimm kann es also nicht sein«, bemerkte Russell beinahe erleichtert. »Als Sie nicht in die Bar zurückgekommen sind, haben wir uns auf die Suche gemacht...«

»Und das Mädchen am Empfang hat uns gesagt, daß Sie plötzlich wie ein Vergifteter hinausgerannt sind«, ergänzte Angus Russell. »Was ist denn passiert?«

»Ich habe plötzlich einen Bekannten gesehen.« Thane starrte Russell an. »Er war Mitte Zwanzig, hatte ein blasses Gesicht, lange Haare. In Glasgow hat er sich Chester genannt. Ich habe Sie vorhin nach ihm gefragt. Vielleicht kennen Sie ihn tatsächlich nicht, aber der Bursche scheint hier in der Gegend verdammt gut Bescheid zu wissen. Er hat mich in einen Entwässerungsgraben gelockt.«

»Dann weiß also jetzt jeder, wer wir sind«, murmelte Dunbar bekümmert.

Thane nickte, dann zögerte er. Russell wirkte seltsam besorgt. Ohne zu wissen warum, behielt Thane den Rest der Geschichte vorerst für sich.

»Wir sind aufgeflogen«, meinte er schließlich grimmig, ohne den Blick von Russell zu wenden. »Und der Bursche mit dem blassen Gesicht und den langen Haaren ist ausgerechnet hier.«

»Die Beschreibung paßt auf 'ne Menge Leute«, verteidigte sich Russell unsicher. »Aviemore ist voll von diesen Typen.« Er legte die Hand auf Thanes Arm. »Wollen Sie wirklich noch heute abend mit Robin Garrett reden?«

Thane nickte. »Und Sie können ihm ruhig sagen, wer wir sind. Es hat jetzt keinen Sinn mehr, den harmlosen Touristen zu spielen.«

»Gut, ich werde das arrangieren«, versprach Russell. »Ich rufe ihn an. Anschließend unterhalte ich mich, wie versprochen, mit einigen Leuten. Geben Sie mir zwei Stunden Zeit. Ich melde mich wieder.«

Thane nickte. Er fröstelte im kalten Nachtwind und war froh, als sie das Hotel endlich wieder erreicht hatten. Russell verabschiedete sich auf dem Parkplatz vor dem Hotel, stieg in einen alten Landrover und fuhr davon.

»Ich spendiere Ihnen einen Drink«, schlug Dunbar vor, als sie die Hotelhalle erreicht hatten.

»Danke, aber zuerst muß ich mich säubern«, erwiderte Thane.

»Ich begleite Sie«, entschied Dunbar und folgte Thane in dessen Zimmer. »Es könnte ja sein, daß Sie mir erzählen möchten, was dort draußen wirklich passiert ist.« Er musterte Thane ausdruckslos. »Entweder es steckt mehr dahinter, oder der Graben ist verdammt tief gewesen.«

»Beides trifft zu«, gestand Thane und verschwand im Badezimmer. Er wusch sich das Gesicht, klebte ein Pflaster auf eine Schürfwunde am Knie und kam dann zu Dunbar zurück.

»Also, was ist geschehen?« erkundigte sich der Sergeant.

»Jemand hat mich niedergeschlagen«, berichtete Thane und bürstete sein Jackett aus. Sein Kopf schmerzte noch immer, und sein rechtes Knie fühlte sich steif an. »Aber erst, nachdem ich in den Graben gefallen war.«

Dunbar hörte Thane aufmerksam zu. »Also ein Mann und eine Frau«, murmelte er, als Thane geendet hatte. »Sieht so aus, als seien wir wirklich aufgeflogen. Vielleicht sind die beiden Chester gefolgt und haben ihn gefragt, warum Sie sich für ihn interessieren?«

»Ja«, antwortete Thane grimmig. »Hier scheinen sich sämtliche Hauptdarsteller in diesem Stück versammelt zu haben.«

Dunbar nickte. Er war plötzlich ernst geworden. »Seltsam, obwohl...« Francey Dunbar verstummte.

»Sprechen Sie sich ruhig aus, Sergeant«, forderte Thane ihn auf. »Was ist denn so seltsam?«

»Angus Russell.« Dunbar runzelte die Stirn. »Unsere Einheit hat schon öfter mit ihm zusammengearbeitet. Er ist unser Kontaktmann. Und trotzdem...«

»Ja?«

Dunbar zuckte mit den Schultern. »Nachdem Sie zum Telefonieren gegangen waren, hat er versucht, mich nach Strich und Faden auszuquetschen. Er wollte unbedingt wissen, warum wir hier sind. Die Sache scheint ihn nervös zu machen.«

»Und was haben Sie ihm erzählt?«

»Ich habe mich dumm gestellt«, antwortete Dunbar.

»Gut. Der Anruf war übrigens von Maggie Fyffe. Unser Toter ist ein Londoner Profi gewesen… und zwar einer von der teuren Preisklasse.«

Dunbar stand seufzend auf.

»Jetzt brauche ich mindestens einen doppelten Whisky«, erklärte er. »Und Sie?«

Sie tranken ihren Whisky in der Bar, die inzwischen fast vollbesetzt war. Die meisten Gäste waren offensichtlich Touristen.

Anschließend aßen sie im Restaurant zu Abend.

»Ist es nicht möglich, daß das Pärchen, das Ihnen heute abend so übel mitgespielt hat, hier im Ironbridge wohnt?« fragte Dunbar nach der Suppe unvermittelt.

»Durchaus.« Thanes Blicke schweiften durch das gut besetzte Restaurant. »Aber was, schlagen Sie vor, sollen wir tun? Alle an die Wand stellen?«

Francey Dunbar schnitt eine Grimasse. »Woher haben sie den Tip mit Crossglen? Woher haben sie's gewußt?«

Thane zuckte mit den Schultern. In diesem Moment wurden ihnen die Forellen serviert, und die Unterhaltung verstummte.

Sie tranken gerade Kaffee, als die Bedienung kam und sagte, daß einer von ihnen am Telefon verlangt werde.

Thane schickte Dunbar, der nach wenigen Minuten wieder zurückkehrte.

»Es war Angus Russell«, berichtete er und ließ sich auf seinen Stuhl fallen. »Der Chef der Whiskybrennerei erwartet uns in zwanzig Minuten bei sich zu Hause.« Er runzelte die Stirn. »Russell bittet uns, danach in seine Wohnung zu kommen. Er sagt, es sei wichtig.«

Thane nickte und bereitete sich innerlich auf die Begegnung mit Robin Garrett vor. Er mußte vorsichtig vorgehen, denn die Glendirk Whiskybrennerei war in diesem gefährlichen Spiel noch eine unbekannte Größe... und trotzdem die einzige Spur, die sie hatten.

Robin Garrett wohnte in einem großen, alten Haus auf einem Hügel einen Kilometer außerhalb von Crossglen. Thane und Dunbar fuhren die breite Auffahrt hinauf und parkten den Ford vor dem Haupteingang. Die oberen Stockwerke des Hauses lagen im Dunkeln. Nur hinter den Fenstern im Parterre brannte Licht.

Thane drückte den Klingelknopf. Sie hörten, wie drinnen Musik abgeschaltet wurde. Während sie warteten, sahen sie auf das Dorf hinunter, dessen Lichter am Fuß des Hügels funkelten. Ein besonders hellerleuchteter Gebäudekomplex am Dorfrand mußte die Glendirk Whiskybrennerei sein. Dahinter erhob sich die dunkle Silhouette der Berge. Wer auch immer das Haus gebaut hatte, er hatte die Lage gut gewählt.

Superintendent Thane drehte sich um, als die Tür geöffnet wurde. Der Mann, der vor ihm im Türrahmen stand, war mittelgroß und muskulös, ungefähr Ende Vierzig und gutaussehend. Sein Haar wurde an den Schläfen bereits grau. Er trug einen Rollkragenpullover über der Kordhose und musterte Thane aufmerksam.

»Superintendent Thane?« eröffnete er das Zusammentreffen mit dem weichen Akzent des gebürtigen Kanadiers und bat sie ins Haus. »Ich bin Robin Garrett. Hören Sie, ich weiß eigentlich nicht, was das alles zu bedeuten hat, aber Angus Russell hat behauptet, es sei dringend, deshalb...«

Garrett schloß die Tür und nickte, als Thane ihm Dunbar vorstellte. Dann führte er sie durch eine holzgetäfelte Eingangshalle in ein geräumiges, exklusiv eingerichtetes Wohnzimmer. Auf der Ledercouch vor dem Kamin, in dem ein Feuer prasselte, saß eine Frau im gelben Strickkleid. Sie hatte kastanienbraunes Haar, eine ausgezeichnete Figur und schöne, mädchenhafte Züge. Ihre gro-ßen, grünen Augen musterten die Neuankömmlinge kühl und abschätzend.

»Meine Frau Margaret«, stellte Garrett vor. »Bitte setzen Sie sich doch, Superintendent... Sergeant.«

Thane und Dunbar nahmen in den Sesseln am Kamin Platz, während sich Garrett neben seiner Frau niederließ, die einige Jahre jünger zu sein schien als er. Margaret griff nach einem Drink, der auf dem Glastisch vor der Couch stand. An ihrer Hand glitzerte ein großer Brillantring. Als Gürtel trug sie eine zierliche Goldkette um die Taille.

»Ich frage erst gar nicht, ob das ein reiner Höflichkeitsbesuch ist«, begann sie gelangweilt, ohne Thane aus den Augen zu lassen. »Und wie ich meinen Mann kenne, wartet er ab, bis Sie ihm sagen, warum Sie hier sind.«

Robin Garrett wurde rot. »Sicher, auf diese Weise muß Superintendent Thane nicht alles zweimal erzählen...«

»Genau das meine ich ja.« Sie zuckte mit den Schultern und nippte an ihrem Drink.

»Kennen Sie einen Mann namens Carl Pender?« fragte Thane ohne Umschweife.

Garrett und seine Frau sahen sich an und schüttelten dann die Köpfe.

»Sollten wir?« erkundigte sich Margaret Garrett und runzelte die Stirn.

»Francey!« Thane wartete ab, bis Dunbar Garrett und seiner Frau Carl Penders Bild gezeigt hatte. »Das war Carl Pender, Mrs. Garrett. Er ist tot... bei einem Unfall mit Fahrerflucht in Glasgow ums Leben gekommen. Wir glauben, daß er die Glendirk Whiskybrennerei in der vergangenen Woche besucht hat.«

»Und wenn, was hätte das zu bedeuten?« entgegnete Robin Garrett. Er runzelte die Stirn. »Ich meine, ich sehe da keinen Zusammenhang.«

»Uns interessiert einfach alles, was Pender vor seinem Tod gemacht hat«, antwortete Thane ruhig. »Pender ist Däne gewesen.

Machen Sie Geschäfte mit Dänemark, Mr. Garrett?«

»Nicht direkt.« Garrett rieb sich das Kinn. »Wir haben uns im Exportgeschäft mehr auf Nordamerika konzentriert. Mit Europa haben wir wenig zu tun. Wir exportieren eigentlich nur nach Westdeutschland größere Mengen.«

»Und persönlich kennen wir keine Dänen«, ergänzte Margaret Garrett ungeduldig. Sie beugte sich leicht nach vorn. »Darf ich Ihnen jetzt mal ein paar Fragen stellen, Superintendent? Ich kenne die meisten Polizeibeamten der Gegend. Woher kommen Sie eigentlich? Und warum ist dieser Mr. Pender für Sie so wichtig?«

Thane nickte. Er hatte diese Fragen erwartet.

»Wir sind heute aus Glasgow hierhergekommen, um festzustellen, was Carl Pender vor seinem Tod gemacht hat. Die dänische Polizei besitzt nämlich eine dicke Akte über ihn. Unsere dänischen Kollegen sind der Meinung, daß Pender nicht zum Vergnügen hier gewesen ist. Vermutlich hat er ein Verbrechen geplant...«

»...das mit oder ohne ihn durchgeführt wird«, ergänzte Dunbar und grinste unverschämt, als Margaret Garrett ihn mit hochgezogenen Augenbrauen musterte. Dann nahm er das verabredete Stichwort auf. »Wir sind von einer Sondereinheit der Polizei, dem Scottish Crime Squad, Madam. Wir interessieren uns nur für große Fische, und Carl Pender ist einer gewesen. Wenn er hier im Speytal war, dann aus triftigen Gründen.«

»Das klingt ja sehr spannend«, bemerkte Margaret Garrett spöttisch. »Es tut mir beinahe leid, daß ich diesen Pender nicht kennengelernt habe.«

Robin Garrett schüttelte unsicher den Kopf. »Natürlich könnte er die Whiskybrennerei besucht haben. Wir machen täglich Führungen... das ist, offen gestanden, eine Werbemaßnahme.«

Thane nickte. »Angus Russell hat uns davon erzählt.«

»Das kann ich mir denken«, sagte Margaret Garrett gereizt, leerte ihr Glas und wechselte die Stellung auf der Couch. »Sie müssen entschuldigen, aber für Angus Russell habe ich nicht besonders viel übrig.«

»Er ist schon in Ordnung«, verteidigte Garrett den alten Mann. »Man muß ihn nur so nehmen, wie er ist.«

»Ich bin da anderer Meinung«, widersprach Margaret Garrett und beachtete ihren Mann nicht weiter. »Superintendent, wir haben Ihnen jetzt gesagt, daß wir Pender nicht kennen. Wollen Sie sonst noch was wissen?«

»Ja, eines würde mich interessieren«, antwortete Thane gelassen. »Wer macht eigentlich diese Touristenführungen in Ihrer Brennerei?«

Robin Garrett räusperte sich. »Nun, wir haben eine Hostess, Joan Harton ... Das ist ein Halbtagsjob.« Er sah auf die Uhr. »Sie muß heute abend eine Gruppe Busreisender aus Aviemore führen und ist vermutlich noch in der Firma.«

»Dann fahr mit den beiden Herren in den Betrieb und stell sie Ihnen vor«, empfahl Margaret Garrett. Sie musterte ihren Mann einen Moment amüsiert. »Mir macht es nichts aus, wenn du mich allein läßt, das weißt du doch.«

»Ja.« Garretts Mund wurde schmal. Er stand auf und fuhr sich mit der Zunge über die Lippen. »Du hast recht. Wenn Sie mit mir kommen wollen, Superintendent ...«

Thane nickte. Er und Dunbar erhoben sich ebenfalls. Margaret Garrett beobachtete sie mit einem spöttischen Lächeln auf den schönen Lippen.

»Hoffentlich finden Sie, wonach Sie suchen«, bemerkte sie betont gelangweilt. »Allerdings möchte ich es bezweifeln ... denn Robin hat unsere Miss Harton nicht engagiert, weil sie besonders intelligent ist.«

Sie verabschiedeten sich. Draußen vor dem Haus stieg Garrett in seinen grünen Volvo, während Dunbar und Thane zu ihrem Ford gingen.

»Diese Mrs. Garrett ist ein Biest und versucht erst gar nicht, sich zu verstellen«, sagte Francey Dunbar, als sie im Wagen saßen und hinter dem Volvo ins Dorf hinunterfuhren. »Wenn ich Garrett wäre, dann wüßte ich schon, was ich mit ihr machen würde.«

»Sie hat die Whiskybrennerei von ihrem Vater geerbt«, erinnerte Thane ihn, ohne die Miene zu verziehen. »Garrett muß gewußt haben, worauf er sich einläßt.«

Thane hatte plötzlich Mitleid mit dem Kanadier, dann konzentrierte er sich wieder auf seine Aufgabe. »Sie bleiben im Wagen, Francey... wenigstens so lange, bis ich mit Garrett in der Firma bin. Dann sehen Sie sich das Fabrikgelände mal genauer an.«

»Und wonach soll ich suchen?« erkundigte sich Dunbar.

»Wenn ich das wüßte, würde ich's Ihnen sagen«, entgegnete Thane verdrossen. »Aber lassen Sie sich nicht erwischen. Und geben Sie mir das Foto von Pender. Vielleicht haben wir doch noch ein bißchen Glück heute abend.«

Wenige Minuten später hatten sie das Dorf erreicht. Die Hauptstraße lag dunkel und verlassen da, als die beiden Autos durchfuhren, dann tauchten die Lichter der Glendirk Whiskybrennerei vor ihnen auf. Die Bremslichter des Volvo leuchteten auf. Sie hielten vor dem Tor eines hohen Drahtzauns. Aus dem Pförtnerhaus trat ein Mann und winkte sie durch.

Thane drehte sich kurz um und sah, daß das Tor hinter ihnen wieder geschlossen wurde. Dann fuhren die beiden Autos an mehreren Außengebäuden und Lagerhallen vorbei und erreichten einen hellerleuchteten Hof. Dort hielten sie an. Garrett sprang aus seinem Wagen und kam auf sie zu. Als nur Thane aus dem Ford stieg, zog er überrascht eine Augenbraue hoch.

»Was ist mit Ihrem Sergeant?« fragte er Thane.

»Der bleibt lieber im Auto«, erwiderte Thane ungerührt und zog die Luft ein. Es roch süßsauer nach Gerstenmalz. Vor ihnen lag der große Haupttrakt der Schnapsbrennerei. Hinter der riesigen Glasfassade schimmerten zwei große Kupferkessel, die fast bis zur Decke reichten. Aber im Hof stand kein anderes Auto mehr. Thane sah Garrett fragend an. »Vielleicht kommen wir zu spät?«

»Joan ist sicher noch da«, antwortete Garrett zuversichtlich. »Wenn so eine Führung vorbei ist, muß erst noch aufgeräumt werden.«

Garrett geleitete Thane zu einem alten, weißgetünchten Gebäude mit Schieferdach auf der rechten Seite des Hofes. Irgendwo in der Nähe hörte Thane das Bullern einer Destillationsanlage und das Plätschern von Wasser.

»Das ist ursprünglich die Brennerei gewesen, die der Urgroßvater Fraser vor ungefähr hundertfünfzig Jahren gegründet hat«, erklärte Garrett. »Jetzt sind dort das Büro, die Empfangsräume und die Werkstatt des Küfers untergebracht.« Er deutete auf das moderne Hauptgebäude. »Wir haben den neuen Gebäudetrakt kurz vor dem Tod von Margarets Vater eingeweiht. Es ist ein harter Kampf gewesen, bis wir den alten Herrn von der Notwendigkeit, die Firma zu modernisieren, überzeugt hatten. Danach haben sich die Produktion und der Gewinn verdoppelt, und er konnte zufrieden sterben.«

»Und wie sieht es heute aus?« wollte Thane wissen, als sie vor der schweren Eichentür standen.

»Was soll heute sein?« erkundigte sich Garrett abweisend und runzelte die Stirn.

»Ich meine, wie sieht es heute mit der Produktion und dem Gewinn der Firma aus?« Thane deutete auf zwei Männer in Overalls, die hinter der Glasfassade des Hauptgebäudes arbeiteten. »Das Geschäft muß doch gut gehen, wenn Sie sogar Nachtschicht machen.«

Garretts Miene hellte sich wieder auf. »In der Schnapsbrennerei muß rund um die Uhr gearbeitet werden. Man kann bestimmte Arbeitsprozesse nicht einfach abbrechen. Wir haben eine ständige Nachtschicht... und Wachen.« Er grinste. »Sogar starke Wachen.«

Sie gingen ins Haus. Thane fand sich in einem langgestreckten, warmen Raum mit einer Decke aus alten Balken wieder. An den Wänden hingen alte schottische Schwerter, der Fußboden war ebenfalls aus Holz.

»Das ist unser Empfangsraum für Besucher«, erklärte Garrett. Auf der einen Seite befanden sich Tische und Stühle, ein Regal mit den Whiskysorten der Glendirk Brennerei und eine Bar. »Ich hole Joan. Sehen Sie sich ruhig mal hier um.«

Garrett verschwand durch eine Tür in der Rückwand des Raumes, und Thane betrachtete das Modell der Glendirk Whiskybrennerei, das in einer Ecke aufgebaut war. Er pfiff leise durch die Zähne, als er das kurze Informationsblatt durchlas, das neben dem Modell angebracht war. Darauf stand, daß in den Lagerhallen der Glendirk Brennerei vor Abzug der Steuern Whisky im Wert von zwölf Millionen Pfund lagerte.

Das war viermal soviel wie der Wiederverkaufswert der Amphetamin-Produktion, von der Carl Pender in den Norden Schottlands gelockt worden war.

»Interessiert Sie das Modell?« erkundigte sich Robin Garrett, der lautlos den Raum betreten hatte. »Das Original habe ich entworfen.«

Thane drehte sich um. Garrett kam, begleitet von einer großen, gutaussehenden Frau, auf ihn zu. Sie trug ein großes, ledergebundenes Buch unter dem Arm.

»Ja, es ist gut gemacht«, antwortete Thane.

»Joan, darf ich dir Superintendent Thane vorstellen? Er möchte die Besucherliste der vergangenen Woche überprüfen.«

Joan Harton nickte Thane freundlich zu. Sie war ungefähr Mitte Dreißig, hatte kurzes, schwarzes Haar und trug ein rostbraunes, elegantes Tweedkostüm.

»Deshalb habe ich unser Gästebuch gleich mitgebracht«, sagte sie mit deutlichem englischen Akzent. Sie legte das Buch auf den Tisch. »Jeder unserer Besucher wird gebeten, sich hier einzutragen, Superintendent... und zwar mit Namen und Adresse. Die Adressen verwenden wir später zu Werbezwecken.«

»Haben Sie diesen Mann vielleicht schon mal gesehen?« fragte Thane sie und zog Penders Foto aus der Tasche. »Erinnern Sie sich an ihn?«

»Sie meinen, er könnte letzte Woche hier gewesen sein?« Joan

Harton betrachtete das Bild stirnrunzelnd, dann schüttelte sie den Kopf. »Tut mir leid, aber an den kann ich mich nicht erinnern. Vergangene Woche sind gut zweihundert Leute hier gewesen... da kann ich mir nicht jedes einzelne Gesicht merken.«

»Dann sehen Sie doch bitte mal nach, ob ein Carl Pender in Ihrem Gästebuch steht«, forderte Thane sie auf. Und als Joan Harton das Buch aufschlug, fügte er hinzu: »Er hat vielleicht eine dänische Adresse angegeben.«

Joan Harton sah Seite für Seite durch. Garrett trat ungeduldig von einem Bein auf das andere, lächelte aber höflich.

»Nach allem, was Sie mir von diesem Mann erzählt haben, könnte er doch auch unter falschem Namen hier gewesen sein, oder?« bemerkte er unvermittelt.

Thane nickte. »Sagen Sie, wer außer Miss Harton hat noch mit den Besuchern zu tun?«

»Ich jedenfalls nicht«, seufzte Garrett. »Ich gehe ihnen eher aus dem Weg. Aber da ist natürlich noch unser Brennmeister, Shug MacLean. Joan, er macht doch heute Überstunden, oder?«

»Ja, vorhin war er im Destillationsraum.« Joan Harton blätterte eine neue Seite auf, las die Reihe der Namen durch und richtete sich dann auf. »Tut mir leid, Superintendent, aber hier ist nichts.« Sie sah Garrett an. »Warum bringen Sie den Superintendenten nicht zu Shug? Vielleicht kann er helfen.«

»Ja, natürlich. Damit wäre die Angelegenheit dann beendet... wenigstens, was uns betrifft. Danke, Joan. Sie können jetzt Schluß machen.«

Joan Harton nickte, lächelte Thane zum Abschied zu und verschwand mit dem Gästebuch unter dem Arm in einem kleinen Büro hinter dem Empfangszimmer. Robin Garrett bat Thane, ihm zu folgen.

Thane zögerte einen Moment, aus Angst, Garrett könnte wieder in den Hof hinausgehen, wo sich inzwischen sicher Dunbar herumtrieb. Er atmete jedoch erleichtert auf, als Garrett ihn durch einen Seitengang in den riesigen, hellleuchtenden Destillationsraum führte. Dort war niemand zu sehen. Sie durchquerten die Halle und betraten einen kleineren Raum, in dem in großen Bottichen die Maische gärte. Garrett rief etwas, und im nächsten Moment kam ein Mann im blauen Overall hinter einem der Bottiche hervor und lief auf den Holzstegen auf sie zu. Dabei trocknete er sich die Hände an einem Tuch ab.

»Mr. Garrett!« begrüßte der Mann seinen Chef. Er war groß, kräftig und unrasiert und hatte tätowierte Unterarme.

»Shug, die Polizei ist hier«, begann Garrett und deutete auf Thane. »Sie bittet um unsere Hilfe.«

»Ich will Sie nicht lange aufhalten«, versicherte Thane und zog Penders Foto aus der Tasche. »Haben Sie diesen Mann schon mal gesehen?«

»Nein, den kenne ich nicht«, erklärte Shug MacLean mürrisch, nachdem er einen kurzen Blick auf das Foto geworfen hatte. »Warum?«

»Könnte er nicht vergangene Woche bei einer Ihrer Führungen hier gewesen sein?« drängte Thane. »Sehen Sie ihn sich noch mal genau an.«

»Das ist nicht nötig«, wehrte MacLean aufsässig ab. »Den habe ich nie gesehen. Was hat er denn angestellt? Hat er zu oft falsch geparkt?«

»Ja, so ähnlich«, antwortete Thane gelassen.

Er verstummte erstaunt, als plötzlich draußen aufgeregtes Geschnatter laut wurde. Der bullige Brennmeister wirbelte herum und rannte über die Holzplanken davon. Unterwegs griff er nach einem schweren Schraubenschlüssel, der auf einer Werkbank lag.

»Da scheint jemand rumzuschnüffeln«, sagte Garrett verdutzt. »Wir gehen lieber mal auch raus.«

Sie liefen hinter MacLean her und folgten ihm eine schmale Eisentreppe hinunter. Im nächsten Moment drückte der Brennmeister einen schweren Kontrollhebel herunter und öffnete eine kleine Tür, die ins Freie führte.

Garrett und Thane gelangten hinter MacLean in einen kleinen Hinterhof, an den auf der anderen Seite eine langgestreckte Lagerhalle grenzte. Das Schnattern wurde immer lauter, und Thane biß sich wütend auf die Unterlippe, als er vor der Lagerhalle Francey Dunbar inmitten einer Schar erboster, flügelschlagender Gänse entdeckte.

»Shug…« Garrett packte MacLean am Arm und hielt ihn zurück. »Alles in Ordnung. Er ist Polizist. Ich kenne ihn.«

»Was, zum Teufel, sucht er denn hier?« erkundigte sich MacLean wütend und ließ die Hand mit dem Schraubschlüssel sinken. Der Brennmeister musterte Thane mit finsterer Miene. »Laufen hier noch mehr von Ihren Spaßvögeln rum?«

»Nein, das ist der einzige«, antwortete Thane beherrscht, während sich Dunbar vorsichtig bis zu der kleinen Gruppe vorarbeitete. Zwei besonders große, aggressive Gänse folgten ihm und machten erst kehrt, als sie die drei Männer sahen.

Nachdem alle wieder im Gebäude waren, schlug MacLean die Tür zu und schaltete die Kontrollampe ab.

»Entschuldigung«, murmelte Dunbar, ohne jemanden anzusehen. »Ich… ich wollte nur ein bißchen frische Luft schnappen.«

»Tja, jetzt haben Sie unser Wachpersonal kennengelernt.« Garretts Augen blitzten vergnügt. »Es sind ganz ordinäre Gänse, Sergeant«, fuhr er mit einem seltsamen Unterton in der Stimme fort. »Viele Schnapsbrennereien halten Gänse auf dem Firmengelände, weil sie einen heillosen Krach veranstalten, sobald sie sich gestört fühlen.«

»Und sie beißen.« Dunbar rieb sich das linke Bein. »Es tut mir wirklich leid.«

Shug MacLean brummte Unverständliches vor sich hin. Mit einem letzten verächtlichen Blick auf Thane und Dunbar machte er kehrt und verschwand.

»Für heute abend haben wir genug Unruhe gestiftet«, bemerkte Thane und lächelte humorlos. »Vielen Dank für Ihre Hilfe, Mr. Garrett. Wir finden allein raus.«

Garrett runzelte die Stirn. »Aber Sie haben ja unseren Whisky noch gar nicht probiert. Es ist hier so Brauch…«

»Ein andermal«, versprach Thane.

Garrett wirkte noch immer sehr nachdenklich, als Dunbar und Thane allein den Korridor in den Empfangsraum zurückgingen.

Sie hatten das Fabrikgelände in ihrem Ford bereits wieder verlassen, als Francey Dunbar endlich seine Sprache wiederzufinden schien. Er räusperte sich.

»Aus Federvieh habe ich mir noch nie viel gemacht«, bemerkte er.

»Das scheint auf Gegenseitigkeit zu beruhen.« Thane seufzte. »Muß ich Ihnen jedes Wort einzeln aus der Nase ziehen? Haben Sie außer Gänsen sonst noch etwas entdeckt?«

»Ja, und schon allein deshalb hat sich der ganze Zirkus gelohnt«, erwiderte Dunbar, ohne den Blick von der Straße zu wenden. »Hinter dem Hauptgebäude ist ein Parkplatz für die Firmenangehörigen... und dort steht ein blauer Austin.« Thane sah im rötlichen Schein der Beleuchtung des Armaturenbretts, daß Dunbar grinste, während er fortfuhr: »Ich habe den Kofferraum mit einem Draht geöffnet. Da drin hat's vielleicht gestunken... wie in einer Kloake.«

»Derselbe Geruch?« Thane richtete sich abrupt auf. »Sind Sie sicher?«

Der Sergeant nickte. »Ganz sicher. Es war dieser Amphetamingestank... aber noch wesentlich stärker als in Marion Coopers Wohnung.«

Thane holte tief Luft. »Haben Sie den Kofferraum wieder verschlossen?«

»Natürlich. Das amtliche Kennzeichen habe ich mir übrigens auch notiert«, berichtete Dunbar. »Verzeihen Sie mir jetzt die Pleite mit den verdammten Gänsen?«

»Aber selbstverständlich, Francey.« Thane zündete sich eine Zigarette an und rauchte eine Weile nachdenklich. Sie hatten inzwischen Crossglen erreicht und fuhren die Hauptstraße entlang. »Halten Sie an, Francey. Wir kehren um.«

Dunbar trat gehorsam auf die Bremse, wendete und hielt am Straßenrand an.

»Marion Cooper«, sagte Thane langsam, »hat angeblich langes, blondes Haar, sieht nicht besonders gut aus und ist viel unterwegs. Stimmt's?«

Dunbar nickte.

»Joan Harton hat kurze, schwarze Haare, trägt elegante Kleider und sieht gut aus. Sie arbeitet nur halbtags in der Whiskybrennerei.« Thane lehnte sich in die Polster zurück. »Überlegen Sie mal, Dunbar.«

Dunbar pfiff leise durch die Zähne. »Eine Perücke...«

»Eine blonde Perücke«, ergänzte Thane. »Und der Himmel weiß, wie eine Frau ohne Make-up aussieht. Die Dame müßte doch aus der Firma jeden Augenblick nach Hause fahren. Wir wollen doch mal feststellen, ob sie zuerst noch was anderes macht.«

Wenige Minuten später warteten sie in ihrem Ford in einem Feldweg an der Straße vor den Toren der Firma Glendirk. Scheinwerfer und Motor waren abgeschaltet. Die Zeit verging nur langsam, und Thane glaubte schon fast, sie hätten Joan Harton verpaßt, als sich plötzlich das Fabriktor öffnete.

Ein blauer Austin rollte heraus, bog nach links ab und kam die Straße entlang auf sie zu. Thane erkannte hinter dem Steuer die Silhouette von Joan Harton.

»Jetzt?« fragte Dunbar.

Thane nickte, hielt Dunbar jedoch dann zurück. Auf der Straße vor der Whiskybrennerei flammte plötzlich noch ein Paar Scheinwerfer auf, und im nächsten Moment fuhr ein grauer Fiat mit einem Mann am Steuer an ihnen vorbei. Dunbar und Thane waren offensichtlich nicht die einzigen, die die Idee gehabt hatten, Joan Harton zu folgen.

»Was machen wir jetzt?« erkundigte sich Dunbar überrascht.

»Wir fahren beiden hinterher, mein Lieber«, antwortete Thane rasch. »Aber passen Sie auf, daß man uns nicht entdeckt.«

Dunbar nickte, schaltete die Zündung ein und ließ den Motor an. Sie folgten dem Fiat in sicherem Abstand. Seine Rücklichter waren nur noch zwei winzige rote Punkte in der Nacht, und von dem blauen Austin sahen sie nur gelegentlich in der Ferne einen Schein über die Wiesen gleiten, wenn der Wagen eine Kurve nahm.

Sie fuhren ungefähr fünf Kilometer weit, durch Crossglen hindurch, am Ironbridge Hotel vorbei und weiter in Richtung Aviemore. Leise eine Melodie vor sich hinsummend, den Blick konzentriert auf die Straße und die Rücklichter des Fiat gerichtet, bewies Francey Dunbar, daß er viel Erfahrung bei der unauffälligen Verfolgung von Autos hatte. Schließlich wurde der Fiat langsamer, und seine Bremslichter leuchteten auf.

»Aha«, murmelte Dunbar, trat auch auf die Bremse und schaltete gleichzeitig die Scheinwerfer aus. Dann fuhr er langsam in vollkommener Dunkelheit weiter. Thane warf einen Blick zurück, aber zum Glück war die Straße leer.

Der Fiat blieb einen Augenblick stehen und raste dann plötzlich davon. Dunbar ließ ihm einen Vorsprung, schaltete dann die Scheinwerfer wieder ein und folgte ihm erneut. Sekunden später begriffen sie das seltsame Manöver des Wagens, als sie an einer kleinen Gruppe von Reihenbungalows vorbeikamen, die dicht neben der Straße lagen.

Das Garagentor vor einem der Bungalows stand offen. Drinnen stand der blaue Austin, und Joan Harton war gerade dabei, die Garagentür wieder zu schließen.

Der Fiat vor ihnen, der jetzt praktisch freie Fahrt hatte, fuhr schneller. Sie hatten gerade ein Hinweisschild nach Aviemore passiert, als die roten Rücklichter des Fiats plötzlich verschwanden. Francey Dunbar fluchte unterdrückt... und atmete im nächsten Moment hörbar auf, als Thane nach links deutete.

Der Fiat war von der Straße auf einen Feldweg abgebogen, der zwischen Bäumen hindurch über eine Weide zu führen schien. Hinter den Bäumen schimmerten Lichter. Alles klärte sich auf, als Dunbar und Thane kurze Zeit später den Feldweg erreichten und das Hinweisschild eines Motels entdeckten.

Der Ford bog ebenfalls ab und holperte hinter dem Fiat her. Kaum hatten sie die Baumgruppe passiert, lenkte Dunbar den

Wagen vom Weg ab und hielt im Schatten eines hohen Busches an.

»Jetzt bin ich dran«, erklärte Thane. »Schlafen Sie nicht ein.«

Dunbar murmelte Unverständliches vor sich hin. Thane stieg aus. Er brauchte nur wenige Minuten, bis er die Wiese überquert hatte, die vor dem Hotel lag. Dann ging er um zwei Bungalows herum, die bewohnt waren, und erreichte den Bungalow, für den er sich interessierte.

Die Vorhänge waren zugezogen. Thane schlich zur Rückseite des Hauses, sah in zwei leere Schlafzimmer und näherte sich dem nächsten Fenster. Augenblicklich fuhr er zurück und preßte sich flach gegen die Wand.

In dem kleinen Wohnzimmer befand sich ein Mann. Er war groß, breitschultrig und hatte ein brutales Gesicht. Sein Jackett war offen, und er hatte die Krawatte gelockert. Thane wagte einen zweiten Blick ins Zimmer und beobachtete, wie der Fremde eine Büchse Bier öffnete und einen langen Schluck tat.

Fast im Unterbewußtsein fiel Thane die Beschreibung ein, die genau auf diesen Mann paßte. Er mußte der Fremde sein, der sich bei der Leihwagenfirma am Flugplatz als Sergeant ausgegeben hatte.

Thane machte sich vorsichtig auf den Rückweg, duckte sich jedoch hastig hinter einen Busch, als ein Wagen auf dem Feldweg auftauchte, am Motelbüro vorbei und direkt auf den Bungalow zufuhr. Es war ein dunkelblauer Jaguar. Der Wagen hielt neben dem Fiat an. Licht und Motor wurden abgeschaltet, und ein Mann und eine Frau stiegen aus. Der Mann war mittelgroß, hatte dichtes schwarzes Haar und trug einen eleganten Mantel. Seine Begleiterin hatte eine Hose und eine dreiviertellange Lederjacke an. Sie begaben sich zum Eingang des Bungalows.

Kaum hatten sie ihn erreicht, wurde die Tür geöffnet. Thane hörte Stimmen und das Lachen einer Frau... und an dieses Lachen erinnerte sich Thane nur zu gut. Im schwachen Schein der Türbeleuchtung sah Thane, daß die Frau brünett war und der Mann neben ihr dunkles, schulterlanges Haar hatte.

Die Tür schloß sich hinter den beiden wieder, und im Bungalow wurden sämtliche Vorhänge zugezogen. Thane horchte einen Augenblick angestrengt in die Dunkelheit hinein. Als alles ruhig blieb, prägte er sich die Kennzeichen der beiden Autos ein und schlich dann zu Dunbar zurück.

»Ich habe mir schon Sorgen gemacht, als der Jaguar hier vorbeigekommen ist«, sagte Dunbar, als Thane einstieg. »Kennen Sie die Leute, Sir?«

»Nein, aber ich kann mir denken, wo sie hingehören«, antwortete Thane, lehnte sich in die Polster zurück und dachte nach.

Fast alles, was sie wußten, hatte ihnen der Zufall in die Hände gespielt. Aber den drei Leuten im Bungalow, wer auch immer sie sein mochten, war es gelungen, Carl Penders Spur bis hierher zu verfolgen... und vielleicht waren sie der Polizei sogar schon um einige Längen voraus. Schließlich standen Drogen im Wert von drei Millionen Pfund auf dem Spiel. Zwei Männer und eine Frau, und am Anfang waren sie zu viert gewesen, überlegte Thane. Sie würden jetzt vorsichtiger vorgehen, und das machte sie um so gefährlicher.

»Sir«, sagte Dunbar und riß Thane aus seinen Gedanken. »Wir sollten eigentlich auch noch Angus Russell besuchen. Es ist schon spät.«

»Ich weiß.« Thane runzelte die Stirn. Er wünschte plötzlich, er hätte noch sein Team von der Millside Division. Doch dann verdrängte er diesen Gedanken energisch. »Nehmen Sie Ihr Notizbuch zur Hand«, forderte er Dunbar schließlich auf.

Thane diktierte dem Sergeant die Kennzeichen des Fiats und des Jaguars und die Beschreibung der Insassen.

Als er fertig war, sagte er: »Ich rede allein mit Russell. Sie unterrichten die hiesigen Polizeibehörden von unserem Auftrag hier. Ich möchte, daß einer ihrer Leute dem Motel einen Besuch abstattet und soviel wie möglich über die drei Verdächtigen herauszubekommen versucht.«

Dunbar seufzte enttäuscht und nickte. »Sonst noch was?«

»Geben Sie die Autokennzeichen und die Personenbeschreibungen an den S.C.S. in Glasgow durch. Die sollen sich dann mit den Leuten in der Fahndungszentrale in London in Verbindung setzen, welche so gut über Morrie Pascall Bescheid gewußt haben. Das spart Zeit.«

»Trotzdem wird es einige Zeit dauern, bis alles überprüft ist«, wandte Dunbar ein.

»Die Kollegen in London haben bis morgen Zeit. Und Sie bleiben am besten auf dem Revier, bis die Antwort aus London kommt.« Thane bedeutete Dunbar, daß er das Steuer übernehmen wolle. »Und jetzt erklären Sie mir, wie ich am schnellsten zu Russell komme.«

Zehn Minuten später setzte Thane einen ärgerlichen und enttäuschten Francey Dunbar vor dem Polizeirevier im alten Stadtkern von Aviemore ab und fuhr durch das moderne Touristen- und Einkaufszentrum wieder aus der Stadt heraus. Dunbars Beschreibungen folgend, gelangte er über eine steil ansteigende Straße zu einem Skilift. Dahinter bog er nach links ab.

Hundert Meter weiter hielt Thane vor einem kleinen Haus an. Hinter einem Fenster brannte noch Licht. Thane stieg aus, ging zur Tür und betätigte den Türklopfer. Kurz darauf machte ihm Angus Russell auf.

»Sie kommen spät«, empfing Russell ihn.

Er machte die Tür hinter Thane wieder zu und führte diesen in ein gemütliches Wohnzimmer, das offensichtlich auch als Büro diente. In der Ecke brannte ein Gasofen, auf dem Schreibtisch stapelten sich Fotos aller Größen, und auch an den Wänden hingen reihenweise Fotografien. Auf dem Holzboden lag ein Hirschfell.

»Setzen Sie sich.« Russell deutete auf einen der alten Sessel neben dem Ofen. Dann holte er eine Flasche Whisky und zwei Gläser und schenkte ein. »Hier, trinken Sie. Allerdings weiß ich nicht, ob Ihnen meine Marke nach dem Glendirk-Whisky noch schmecken wird.«

»Die Whiskyprobe haben wir auf später verschoben«, antwortete Thane.

»So, tatsächlich?« Russell sah Thane erstaunt an. Sie prosteten sich zu. »Und wie war's sonst bei Robin Garrett?«

»Fehlanzeige«, erwiderte Thane zugeknöpft.

»Aha.« Russell nahm in dem anderen Sessel Platz und beobachtete eine Weile schweigend, wie Thane an seinem Whisky nippte. »Ich habe, wie versprochen, inzwischen mit ein paar Freunden gesprochen«, sagte er dann. »In einem Punkt haben Sie recht, Superintendent: Ihr Mr. Pender ist hier vorbeigekommen.«

»Vorbeigekommen?« wiederholte Thane überrascht.

»Ja, genau«, bestätigte Russell. »Er hat eine Nacht im Mail Coach Hotel verbracht und ist dann nach Norden weitergefahren. Zwei Tage später kam er wieder zurück und hat erneut eine Nacht hier zugebracht.«

»Und woher wollen Sie wissen, daß er in Richtung Norden aufgebrochen ist?« erkundigte sich Thane mit ausdrucksloser Miene.

»Er hat an der Tankstelle neben dem Mail Coach Hotel eine Karte der Gegend nördlich von Inverness gekauft und sich vom Tankwart die kürzeste Route erklären lassen«, erwiderte Russell und trank einen kräftigen Schluck Whisky. »Sieht ganz so aus, als hätten Sie hier nur Zeit verschwendet, was?«

»Und was ist mit dem Burschen, der mich heute abend in den Graben gelockt hat?« fragte Thane gelassen.

»Ich… Vielleicht haben Sie sich getäuscht.« Russell lächelte verlegen. »Vielleicht haben Sie ihn verwechselt.« Der alte Mann musterte Thane aufmerksam. »Wenn mich einer wie Sie verfolgen würde, dann gäbe ich auch Fersengeld. Ich bin kein Held.«

»Ich werd's mir durch den Kopf gehen lassen«, sagte Thane, ohne eine Miene zu verziehen, und dachte angestrengt nach. Er wußte selbst nicht recht, warum er dem alten Fotografen plötzlich nicht mehr traute. Schließlich lehnte er sich im Sessel zurück und sah sich im Zimmer um. »Leben Sie hier ganz allein?«

»Ja, schon lange«, antwortete Russell und schnitt eine Grimasse. »Meine Frau lebt von mir getrennt... Ich weiß nicht mal, wo. Wir haben uns seit zwanzig Jahren nicht mehr gesehen.« Er stand auf, schenkte sich noch ein Glas Whisky ein und zuckte mit den Schultern, als Thane einen zweiten Drink ablehnte. »Wenn Sie schon mal hier sind, können Sie sich ruhig ansehen, womit ich mein Geld verdiene.«

In den folgenden zwanzig Minuten zeigte Russell Thane einige Fotos, die er gemacht hatte. Es waren gute Bilder, und Thane gefielen besonders die Landschaftsaufnahmen. Russell entspannte sich sichtlich und wurde zugänglicher.

Als Thane schließlich aufbrach, verabschiedete Russell ihn beinahe herzlich.

»Vielleicht sehen wir uns nie wieder«, sagte er. »Wenigstens nicht so schnell, was?«

»Das kommt darauf an«, erwiderte Thane ausweichend.

Russell wartete im Türrahmen, bis Thane abgefahren war.

Als Colin Thane ins Ironbridge Hotel zurückkam, war er todmüde.

In seinem Zimmer setzte er sich aufs Bett und rauchte nachdenklich eine Zigarette.

Was Russell ihm über Penders kurzen Aufenthalt in Aviemore erzählt hatte, entsprach vermutlich der Wahrheit. Russell war zu klug, um ihn in diesem Punkt zu belügen. Aber der Kilometerstand von Penders Leihwagen ließ eine Fahrt in die Gegend von Inverness als sehr unwahrscheinlich erscheinen. Und die Geschichte mit der gekauften Landkarte klang wie das typische Täuschungsmanöver eines Profis.

Thane mußte unwillkürlich lächeln und fragte sich, wie Francey Dunbar wohl mit seinen Kollegen von der Polizei in Aviemore zurechtkam. Dann dachte er wieder an Russell.

Russells Absicht war offensichtlich. Er wollte Thane und Dunbar loswerden.

Aber diesen Gefallen würden sie ihm nicht tun. Die Glendirk Whiskybrennerei war irgendwie in das Amphetamingeschäft verwickelt. Die Hauptverdächtige war Joan Harton... und gleich nach dieser kam Robin Garrett persönlich.

Thane zog sich aus, legte sich ins Bett, machte das Licht aus und war sofort eingeschlafen.

Kapitel
5

Am nächsten Morgen war der Himmel strahlend blau, und die Sonne schien.

Thane hatte sich gerade gewaschen und rasiert und war noch nicht ganz fertig angezogen, als es an die Tür klopfte und Dunbar hereinkam.

»Morgen«, murmelte Dunbar müde, ging zum Fenster und gähnte. »Ich bin erst um fünf Uhr heute früh ins Bett gekommen«, sagte er mit einem vorwurfsvollen Blick auf Thane.

»Und was haben Sie erreicht?« fragte Thane ungerührt und zog sein Jackett an.

»'ne Menge, Sir.« Dunbar gähnte erneut. »Die Kollegen in Aviemore sind sehr nett zu mir gewesen. Ich habe Kaffee und Spiegeleier bekommen und...«

»Die Kochkünste der Polizei von Aviemore interessieren mich herzlich wenig«, fiel Thane ihm ins Wort. »Also, was ist?« Er zündete sich eine Zigarette an.

»Joan Harton ist ein unbeschriebenes Blatt, aber unsere drei Freunde aus dem Motel stehen in der zentralen Fahndungskartei«, berichtete Francey Dunbar. »Der Besitzer des Jaguar ist ein gewisser Frank Benodet. Er hat ein Antiquitätengeschäft in London und ist beim dortigen Rauschgiftdezernat als Drogenhändler mit 'ner Menge europäischer Kontakte bekannt.« Dunbar lächelte flüchtig. »Die Kollegen aus London meinen, die Frau müßte Miriam Vassa, Benodets ständige Freundin, sein.«

»Und der grobschlächtige Kerl?«

»Das könnte ein gewisser Coshy Jackton sein«, antwortete Dunbar. »Er ist auch ein alter Bekannter. Jackton ist Polizeibeamter in den Midlands gewesen, hat dann mehrere Einbrüche gemacht und ist dadurch ins andere Lager übergewechselt. Zur Zeit ist er Benodets Mädchen für alles.«

»Nette Gesellschaft«, murmelte Thane. »Sonst noch was?«

Dunbar zuckte die Achseln. »Den grauen Fiat hat die Bande offensichtlich gestern bei ihrer Ankunft hier gemietet. Der Sergeant aus Aviemore hat einen seiner Leute ins Motel geschickt. Die drei werden beobachtet. Der Motelmanager ist der Polizei noch einen Gefallen schuldig. Jedenfalls wissen wir, daß Benodet, diese Vassa und Jackton gestern mittag hier aufgekreuzt sind. Sie haben die Miete für den Bungalow im voraus bar bezahlt. Mehr weiß der Manager nicht.«

»Es paßt alles prima zusammen«, meinte Thane. Benodet war in den Norden gefahren, weil er irgendwie von dem Geschäft Wind bekommen hatte, an dem Carl Pender interessiert gewesen war. Jedenfalls mußte Benodet einen Hinweis erhalten haben, der ihn in Marion Coopers Wohnung in Glasgow geführt hatte. Dabei hatte er einen seiner Leute verloren... Aber offensichtlich hatte er abgewartet, einen kühlen Kopf behalten und den blauen Austin beschatten lassen, mit dem die Cooper über Nacht in den Norden gefahren war.

Inzwischen hatte Benodet sicher auch schon zwei und zwei zusammengezählt und wußte, daß er seinem Ziel, dem Amphetaminlabor, sehr nahe war.

Dunbar betrachtete sich im Spiegel. »Das Leben ist hart«, murmelte er. »Und wie war's bei Angus Russell?«

»Russell möchte uns unbedingt loswerden.« Thane erzählte ihm alles Weitere.

»Hm, da ist was faul.« Dunbar sah Thane verwirrt an. »Was, zum Teufel, bezweckt er eigentlich damit?«

»Vielleicht sollten wir das herausfinden.«

»Russell hat einen Sohn«, sagte Dunbar stirnrunzelnd. Als er

Thanes erstaunte Miene sah, fuhr er fort: »Er heißt Sean Russell und ist Schilehrer. Im Winter arbeitet er für einige Hotels in der Gegend. Die Kollegen aus Aviemore kennen ihn. Er scheint vor Jahren einen großen Krach mit seinem Vater gehabt zu haben. Seitdem wollen die beiden nichts mehr voneinander wissen. Der Polizei ist er wegen kleinerer Verkehrsdelikte bekannt.« Dunbar schien Thanes Gedanken zu lesen und schüttelte den Kopf. »Die Kollegen haben keine Ahnung, daß wir ab und zu mit dem Vater zusammenarbeiten.«

»Das soll vorerst auch so bleiben.« Thane drückte seine Zigarette im Aschenbecher aus. »Was haben Sie über diese Joan Harton herausbekommen?«

»Sie lebt allein, ist erst vor einigen Monaten in der Gegend aufgetaucht und hat sofort bei der Firma Glendirk angefangen.« Dunbar grinste. »Man scheint über sie und Garrett zu reden. Aber falls zwischen den beiden wirklich etwas läuft, haben sie's bisher gut verbergen können.«

Damit blieb nur noch Shug MacLean. Alles, was Dunbar über ihn erfahren hatte, war, daß er seit sieben Jahren Brennmeister bei der Firma Glendirk war und mit seiner Frau und zwei Kindern im Dorf lebte.

»Hier in dieser Ecke von Schottland kennt jeder jeden«, bemerkte Thane, als Dunbar geendet hatte. »Deshalb muß hier niemand seine Haustür abschließen.«

»Neuerdings schon«, widersprach Dunbar. »Die Zivilisation ist auch bis hierher vorgedrungen.«

Nach dem Frühstück fuhren Thane und Dunbar nach Aviemore. Kurz nach zehn Uhr parkten sie den blauen Ford im Zentrum und gingen in das Hotel Mail Coach und anschließend zu der Tankstelle daneben. Nach einigen Fragen war klar, daß Angus Russells Geschichte stimmte.

»Was machen wir jetzt?« fragte Dunbar, als sie die Tankstelle wieder verlassen hatten. Er sah dabei einigen Mädchen in hautengen Jeans nach, die gerade vorbeigingen, und seufzte hörbar.

»Sehen Sie sich das an... und davon gibt's hier 'ne Menge.«

»Das ist mir auch schon aufgefallen.« Thane schob Dunbar in die entgegengesetzte Richtung auf ein Sportgeschäft zu, das gleichzeitig ein Reisebüro betrieb. »Sparen Sie Ihre Kräfte, Francey. Sie sind jetzt ein begeisterter Schifahrer, der unbedingt wissen möchte, was sein Lieblingsschilehrer eigentlich macht, wenn's keinen Schnee gibt.«

»Sean Russell?« Dunbar hob erstaunt die Augenbrauen. »Stimmt, das ist 'ne Möglichkeit.«

»Danke«, antwortete Thane spöttisch und ging voraus.

Im Schaufenster des Sportgeschäftes lagen die üblichen saisonbedingten Ausrüstungsgegenstände für Bergsteiger, Angler und Campingfreunde. Drinnen war das Angebot größer, und Thane entdeckte sofort die Wintersportabteilung. Über einem Regal mit Schischuhen, Brillen und Handschuhen hing ein großes Plakat mit zwei lachenden Schifahrern. Darunter stand dickgedruckt: ›Zwei unserer Schilehrer, Sean Russell und Pete Stanson.‹

Russell war blond und kräftig und hatte den Arm um seinen Kollegen gelegt. Stanson hatte dunkles Haar und ein schmales, blasses Gesicht. Er war der junge Mann, der sich im Hotel am Flughafen von Glasgow als Reporter ausgegeben hatte und den Thane am Vorabend verfolgt hatte. Thane starrte noch immer nachdenklich auf das Foto, als Dunbar, der sich inzwischen mit einem Verkäufer unterhalten hatte, neben ihn trat.

»Russell ist in der Gegend«, sagte Dunbar leise. »Er hilft bei Bauarbeiten in der Nähe der Schipisten am East Coire Lift. Er wohnt angeblich dort oben auch in einem alten Caravan und...« Dunbar verstummte. »Was haben Sie denn?«

»Das ist der Grund, warum Russell uns unbedingt loswerden möchte«, murmelte Thane und deutete auf das Foto. »Der Linke ist sein Sohn und der Rechte ein alter Bekannter von mir. Mir hat er sich allerdings als Mr. Chester vorgestellt.«

»Der Bursche, dem Sie gestern nachgerannt sind...« Dunbar blickte interessiert auf das Plakat.

»Fragen Sie den Verkäufer, was er über Stanson weiß«, wies ihn Thane an. »Ich überlege inzwischen, wie viele Fehler wir noch gemacht haben könnten.«

Dunbar nickte und ging zur Ladentheke zurück. Thane verließ das Geschäft, lehnte sich draußen gegen das Schaufenster und beobachtete die Passanten, ohne sie wirklich zu sehen. Angus Russell hatte als verläßlicher Kontaktmann gegolten. Vielleicht war er das normalerweise auch, aber in diesem Fall... Russell mußte geahnt haben, daß der Mann, für den Thane sich so brennend interessierte, ein Freund seines Sohnes war. Falls Sean Russell inzwischen wußte...

»Guten Morgen, Superintendent«, begrüßte ihn eine kühle Frauenstimme und riß ihn aus seinen Gedanken. »Haben Sie Sehnsucht nach der Großstadt?«

Thane starrte Margaret Garrett überrascht an. Sie trug einen weißen Kashmerepullover und einen dazu passenden Wildlederrock. Ihre Pelzjacke hatte sie lässig über die Schultern gehängt. Thane konnte ihre Augen hinter der großen Sonnenbrille nicht sehen, aber er ahnte, daß sie ihn mit amüsierter, herablassender Miene musterte.

»Ich habe nur vor mich hin geträumt«, murmelte Thane. »Das passiert manchmal, wenn man sich bei der Arbeit nur im Kreis dreht.«

»Sind Sie mit Ihrem Mr. Pender noch immer nicht weiter?«

»Man beißt sich so durch.« Thane sah sich um. »Sind Sie allein, Mrs. Garrett?«

»Ja.« Sie zog geringschätzig die Mundwinkel herab. »Mein geliebter Mann und ich bevorzugen eine besondere Form des Zusammenlebens, Superintendent. Wir gehen uns meistens aus dem Weg. Tja, so ist das nun mal... Vielleicht ist Ihnen gestern abend schon etwas aufgefallen.« Sie zuckte mit den Schultern. »Wenn Sie mit ihm sprechen wollen, fahren Sie am besten zur Firma. Dort verbringt er meistens seine Zeit, mit Ausnahme der Wochenenden, denn da streift er durch die Berge und tut so, als sei er so was wie ein überalterter Pfadfinder.«

»Haben Sie was dagegen?« fragte Thane vorsichtig.

»Es ist mir egal, was er macht«, antwortete sie offen. »Es gibt immer jemanden, der sein Bett warm hält, wenn er nicht da ist.« Sie lachte schamlos. »Machen Sie kein so erstauntes Gesicht, Superintendent. Schuld sind meistens beide, und ich bin eine sehr praktische Natur.«

»Mit Eheberatung habe ich nichts zu tun«, entgegnete Thane nun. »Aber ich würde mich gern noch mal mit Ihrem Mann unterhalten. Aber nicht in der Firma. Kann ich heute abend zu Ihnen kommen?«

»Wie Sie wollen.« Margaret Garrett zuckte gleichgültig mit den Schultern. »Ich werde sowieso nicht zu Hause sein. Ich fahre für ein paar Tage weg.«

»Machen Sie Urlaub?«

»Nicht direkt. Ich besuche meinen Sohn. Er studiert Betriebswirtschaft in Edinburgh.«

Thane konnte seine Verblüffung kaum verbergen. »Ich hatte keine Ahnung…«

»Er heißt Keith und wird jetzt einundzwanzig.« Margaret Garretts Züge wurden plötzlich weich. »Keith Ornway… Sein Vater ist auf einer Bergtour abgestürzt. Fünf Jahre nach seinem Tod habe ich Robin geheiratet.« Sie sah hastig auf ihre Uhr. »Ich muß jetzt gehen. Ich bin beim Friseur angemeldet.«

»Wann fahren Sie nach Edinburgh?« wollte Thane wissen.

»Heute nachmittag… Ich nehme den Wagen.« Margaret Garrett musterte Thane mit einem seltsamen Lächeln. »So spielt das Leben… Schade, was, Superintendent?«

Sie ging schlank und aufrecht davon und war im nächsten Moment in der Menge der Passanten verschwunden. Kurz darauf kam Francey Dunbar aus dem Sportgeschäft.

»Was wollte denn Margaret Garrett von Ihnen?« erkundigte er sich prompt.

»Oh, nur ein bißchen mit dem Volk plaudern«, antwortete Thane geistesabwesend. Margaret Garrett hatte ihn in so mancher Beziehung überrascht… und ihn außerdem sehr nachdenklich gestimmt. Aber im Augenblick hatte er andere Sorgen. »Was ist mit Pete Stanson?«

»Viel konnte ich nicht erfahren«, erklärte Dunbar. »Seit dem Ende der Schisaison hat er sich hier kaum noch blicken lassen. Der Verkäufer aus dem Sportgeschäft glaubt, daß Stanson in Glasgow arbeitet. Stanson und Sean Russell scheinen dicke Freunde zu sein. Russell hat ihm übrigens den Job als Schilehrer verschafft.«

»Interessant«, murmelte Thane.

»Ja.« Dunbar zögerte und warf Thane einen flüchtigen Seitenblick zu. »Superintendent, Sie sind der Boss, aber ich finde, wir haben jetzt 'ne Menge Informationen, die alle nichts bringen...«

»Meinen Sie, Sergeant?« unterbrach Thane ihn. »Das lassen Sie nur meine Sorge sein.«

Dunbar wurde rot, und Thane bereute fast, so unfreundlich geworden zu sein. Aber er war nicht in der Stimmung, sich zu entschuldigen.

Sie gingen zum Wagen zurück. Thane wies Dunbar an, zum Polizeirevier zu fahren, und lehnte sich dann schweigend in die Polster zurück. Er war ärgerlich auf sich selbst.

Und Thane wußte auch, woran es lag. Er vermißte Phil Moss. Mit Phil Moss hätte er jetzt alles besprechen und sich streiten können. Und obwohl ihm der junge Sergeant Dunbar eigentlich auch schon sehr sympathisch geworden war, hatte sich zwischen ihnen noch keine fruchtbare Partnerschaft entwickelt.

Dabei hatte Dunbar recht gehabt. Thane seufzte unterdrückt. Bisher hatten sie nur mehr oder weniger wichtige Informationen gesammelt. Es wurde langsam Zeit, daß er sie zu einem einheitlichen Bild zusammenfügte, bevor ein heilloses Durcheinander entstand.

Dunbar hielt auf dem Parkplatz hinter dem Polizeirevier an und pfiff leise durch die Zähne.

»Wir haben Verstärkung bekommen«, erklärte er und deutete auf einen grünen Mini-Cooper, der neben dem Ford parkte. »Das ist ein Wagen vom S.C.S.«

»Aha«, murmelte Thane einsilbig.

Dunbar grinste. Thane hatte den Eindruck, daß Dunbar fast erleichtert war.

Sie stiegen aus und gingen ins Polizeirevier. An der Empfangstheke stand nur ein älterer Sergeant namens Henderson. Dunbar stellte ihn Thane vor.

»Im Hinterzimmer warten zwei Ihrer Kollegen auf Sie«, erklärte Henderson. »Sie sind vor ungefähr zwanzig Minuten eingetroffen. Ich habe ihnen gesagt, daß Sie bald kommen würden.«

Thane nickte. »Haben Sie schon was Neues aus dem Motel gehört?«

»Benodet und der andere Mann sind mit einem der Autos heute morgen kurz weggefahren und eine halbe Stunde später, beladen mit Zeitungen und Lebensmitteln, in den Bungalow zurückgekehrt.«

»Und seitdem haben sie sich nicht von der Stelle gerührt?«

»Nein.« Henderson strich sich durchs Haar. »Wenn es soweit ist, werde ich sofort benachrichtigt.« Er zögerte und fügte dann hinzu: »Worum es in diesem Fall geht, ist Ihre Sache, Sir. Aber wenn Sie Hilfe brauchen...«

»Ich werde vermutlich bald auf Ihr Angebot zurückkommen müssen«, sagte Thane und bedankte sich.

Gefolgt von Dunbar, ging Thane ins Hinterzimmer. Ein Mädchen und ein Mann standen auf, als sie eintraten. Das Mädchen war groß, schlank und hübsch. Sie hatte rotes Haar und trug Jeans und einen Wollpullover. Ihr Begleiter war ungefähr Mitte Dreißig und kräftig, hatte dünnes, sandfarbenes Haar und steckte in einem alten, abgetragenen Tweedanzug.

Dunbar stellte die beiden Thane vor. Das Mädchen hieß Sandra Craig und war Mitglied des S.C.S. im Rang eines Detective Constable. Der Mann war ebenfalls ein Detective Constable beim S.C.S. und hieß Joe Felix. Sandra Craig überließ Joe Felix das Reden.

»Der Commander dachte, Sie könnten Verstärkung gebrauchen, Sir«, begann Felix und lächelte unsicher. »Wir sind heute

morgen schon gegen sechs Uhr in Glasgow losgefahren, aber...«
Er warf Sandra einen flüchtigen Blick zu. »...aber wir mußten
haltmachen, um zu frühstücken.«

»Ich hatte Hunger«, warf Sandra ein.

»Sie hat immer Hunger«, erklärte Dunbar.

»Und Francey ist zur Zeit immer müde«, entgegnete Thane
und war erleichtert, als Dunbar den Mund zu einem amüsierten
Lächeln verzog. Dann wandte Thane sich an Felix. »Könnten Sie
eine schwierige Personenüberwachung übernehmen? Schwierig
deshalb, weil eine gute Tarnung fast unmöglich ist und wir in
größerer Distanz arbeiten müssen.«

»Kein Problem«, versicherte Felix selbstsicher. »Ich habe eines
unserer Infrarotferngläser dabei.« Felix stellte eine Ledertasche
auf den Tisch und öffnete sie. Schußwaffen wurden sichtbar.
Dann wandte er sich wieder an Thane. »Der Commander meinte,
Sie und Francey könnten die Dinger gebrauchen. Wir haben unsere eigenen.«

Thane und Dunbar steckten je eine achtunddreißiger Webley
Pistole mit dazugehöriger Munition ein.

»Okay, aber vergeßt bitte nicht, daß wir hier nicht auf Groß-
wildjagd sind«, sagte Thane dabei. »Francey, du gibst den beiden
jetzt alle Informationen, die sie benötigen. Ich bin gleich wieder
zurück.«

Thane ging zu Henderson, der über einem Formular brütete,
und fragte ihn, wo er telefonieren könnte. Sergeant Henderson
führte Thane in ein Nebenzimmer, wo ein Telefonapparat stand,
und ließ ihn dann allein.

Als Thane endlich durchkam, war Maggie Fyffes Schreibhilfe
am Apparat. Er erfuhr, daß Commander Hart nicht im Haus
war, daß er aber mit Superintendent Maxwell sprechen könne.

Es dauerte nicht lange, und Maxwell meldete sich.

»Wir haben Ihnen Verstärkung geschickt«, begann Maxwell
sofort gutgelaunt.

»Ja, die ist bereits eingetroffen. Ich kann die Leute gut gebrauchen.« Thane kam ohne Umschweife zur Sache. »Tom, ich

möchte Sie bitten, ein paar Nachforschungen für mich anzustellen. Mich interessiert vor allem die wirkliche Finanzlage der Firma Glendirk. Es sieht so aus, als ginge das Geschäft gut, aber der Schein kann trügen.«

»Sie meinen, Glendirk könnte wegen finanzieller Schwierigkeiten in den Drogenhandel eingestiegen sein? Ich verstehe«, antwortete Maxwell. »Maggie soll das übernehmen. Noch was, Colin. Die Kollegen in London haben Frank Benodet noch mal gründlich unter die Lupe genommen. Seien Sie vorsichtig. Benodet ist brutal und skrupellos, und Miriam Vassa steht ihm in nichts nach. Und falls der dritte im Bunde tatsächlich Coshy Jackton ist, dann haben Sie's mit einer gefährlichen Bande zu tun, Colin.«

»Bis jetzt haben die drei hier nur rumgeschnüffelt«, beruhigte Thane Maxwell. »Hören Sie, Tom, im Moment interessiert mich Ihr Kontaktmann Angus Russell beinahe noch mehr.«

»Russell?« meinte Maxwell ungläubig. »Angus ist ein seltsamer Kauz, aber er hat mich bisher nie enttäuscht. Als ich das erste Mal mit ihm zusammengearbeitet habe, hat er mir eine Bande gefährlicher Bankräuber beinahe auf dem Tablett serviert.«

»Diesmal ist er in erster Linie Vater eines Sohnes«, entgegnete Thane grimmig. »Und als solcher versucht er uns loszuwerden... und langsam glaube ich auch zu wissen, warum.«

»Verdammter Mist«, ertönte es am anderen Ende unglücklich. »Sein Sohn... Russell hat mir mal von ihm erzählt. Der Junge ist vor Jahren von der Universität geflogen. Deshalb haben sie sich verkracht.«

»Wissen Sie vielleicht noch, was Sean Russell studiert hat?« fragte Thane prompt.

»Nein, aber er war an der Universität in Glasgow. Ich werde das überprüfen.«

»Dann kümmern Sie sich auch gleich mal um Sean Russells Freund Pete Stanson. Die beiden sind gleichaltrig. Pete Stanson ist derjenige, welcher sich in Penders Hotel als Reporter ausgegeben hat.«

»Mann, müssen Sie eine Wut auf mich haben!« stöhnte Maxwell. »Okay, was gibt's sonst noch Unangenehmes?«

»Im Augenblick ist das alles«, versicherte Thane ihm.

»Dann tun Sie mir bitte noch einen Gefallen, bevor Sie auflegen, und erklären mir, was Phil Moss eigentlich in dem verdammten Krankenhaus, in dem er gerade liegt, angezettelt hat.«

»Warum? Phil hatte mich nur gebeten, ein paar Dinge für ihn zu überprüfen«, antwortete Thane zögernd.

»Ihr Nachfolger bei der Millside Division, Chefinspektor Andrews, ist bei mir gewesen und hat mir eine wilde Geschichte von einem Fuhrunternehmen und einem Mitpatienten von Moss erzählt…«

»Und?«

»Himmel, ich habe keine Ahnung!« beklagte sich Maxwell. »Fragen Sie Moss oder Andrews, aber fragen Sie nicht mich! Andrews scheint der Meinung zu sein, daß Moss wirklich auf was gestoßen ist. Ich soll Ihnen seinen Dank ausrichten.«

»Grüßen Sie ihn von mir«, antwortete Thane heiter. »Und sagen Sie ihm, daß ich keine Ahnung hatte, wie glücklich ich früher gewesen bin.«

Damit legte er auf und ging zu Sergeant Henderson zurück. »Was Neues vom Motel?«

Als Henderson bedauernd den Kopf schüttelte, betrat Thane das Hinterzimmer, wo Sandra, Joe und Francey ihn bereits erwarteten.

»Wißt ihr jetzt Bescheid?« erkundigte sich Thane.

Felix und das Mädchen nickten.

»Gut.« Thane setzte sich auf die Tischkante. »Unsere vorrangige Aufgabe ist, dieses illegale Amphetaminlabor zu finden. Solange wir das Amphetamin und die Laboreinrichtung nicht haben, haben wir auch keine Beweise.« Thane sah Francey an. »Bis dahin müssen wir vorsichtig und behutsam vorgehen. Wenn sich hier einer als Held aufspielt, könnte das verheerende Folgen haben.«

Dunbar grinste verlegen. Er hatte verstanden.

»Glauben Sie, daß uns jemand zu diesem Labor führen wird?«
erkundigte sich Sandra Craig.

Thane nickte.

Sandra Craig runzelte die Stirn. »Könnte dieser Benodet nicht
inzwischen auf denselben Gedanken gekommen sein?«

Thane zuckte die Achseln. »Möglich. Aber ich nehme an, daß
er ziemlich direkt auf sein Ziel losgehen wird.«

Später würde Thane sich noch voller Bitterkeit an diese Äuße-
rung erinnern. Aber im Augenblick war er zu sehr mit organisa-
torischen Dingen beschäftigt. Er erklärte den anderen, daß die
Polizei von Aviemore das Motel überwache, und sorgte dafür,
daß Felix und das Mädchen sich die genauen Beschreibungen der
in den Fall verwickelten Personen, einschließlich der Leute von
der Firma Glendirk, einprägten. Die beiden Autos vom S.C.S.
sollten in Zukunft ständig Funkkontakt halten. Zusätzlich hatte
Felix zwei Walkie-Talkies mitgebracht.

»Sie übernehmen Joan Harton«, wies Thane schließlich Felix
an. »Überprüfen Sie, ob sie zu Hause ist, und überwachen Sie den
Bungalow. Sagen Sie mir Bescheid, sobald sich dort was tut.«

Felix nickte.

Thane wandte sich an Sandra Craig. »Sie beobachten die
Whiskybrennerei, Sandra. Felix soll Sie dort mit einem Funkgerät absetzen. Sie werden schon ein gemütliches Versteck finden.«

»Die Heide ist groß«, murmelte Sandra Craig. »Aber das ist mal
'ne Abwechslung gegenüber Hinterhöfen und Bierbüchsen.«

»Viel Spaß«, wünschte Thane ihr sarkastisch. »Francey und
ich sehen uns jetzt mal einen Schilift an. Aber wir bleiben in der
Nähe... falls was passiert.«

Felix und Sandra Craig verließen das Polizeirevier als erste.
Dunbar und Thane sprachen noch kurz mit Sergeant Henderson
und stiegen dann in ihren blauen Ford. Der Mini-Cooper war
bereits verschwunden.

Es war ungefähr zwölf Uhr mittags. Die Sonne schien noch
immer, aber ein kühler Wind war aufgekommen. Thane hatte das

Steuer übernommen, und Dunbar probierte kurz das Funkgerät aus.

Sie verließen Aviemore in östlicher Richtung. Am Stadtrand bogen sie in eine schmale Landstraße ein, die zuerst langsam, dann immer steiler bergan stieg. Sie fuhren zuerst um einen kleinen See mit klarem, blauem Wasser herum, dann an einem Zeltplatz vorbei und kamen schließlich zum Queen's Forest. Hier führte die Straße in vielen Windungen durch steilen Bergwald. Aviemore war tief unter ihnen nur noch als Spielzeugstädtchen zu erkennen. Ab und zu begegnete ihnen ein Wagen mit Touristen oder ein Lastwagen.

Dann hatten sie plötzlich die Baumgrenze erreicht. Die Straße wand sich jetzt durch eine bizarre Felslandschaft. Im Hintergrund tauchten die schroffen Gipfel der Cairngorm Mountains auf. Nun begannen die Schilifte. Beim Hinweisschild zum East Coire-Lift bog Thane nach links ab und hatte bald den kleinen Parkplatz vor der Liftstation erreicht.

Er und Dunbar wollten gerade aussteigen, als das Funkgerät zu knacken begann. Dunbar schaltete die verabredete Frequenz ein. Es war Felix.

»Ich wollte euch nur sagen, daß Hendersons Kollege im Motel gerade gesehen hat, wie Benodets Mann Jackton in seinem Wagen fortgefahren ist«, begann Felix beinahe entschuldigend. »Und zwar in meine Richtung… zu Joan Hartons Haus.«

Thane nahm Dunbar das Mikrophon ab. »Es gilt trotzdem, was ich gesagt habe, Felix. Unternehmen Sie nichts… beobachten Sie nur. Und sorgen Sie dafür, daß Sandra vor der Whiskyfabrik dasselbe tut.«

»Verstanden.«

Thane gab Dunbar das Mikrophon zurück. »Sie bleiben im Wagen«, entschied er und schüttelte den Kopf, als er Dunbars stummen Protest sah. »Vielleicht passiert gar nichts, aber ich will nichts riskieren.«

Thane ließ also den enttäuschten Sergeant im Auto zurück und ging über den Parkplatz auf eine Gruppe von Bauarbeitern zu, die gerade einen Lastwagen entluden. Es wehte ein eisiger Wind über die Hochfläche, und Thane mußte über Zementsäcke und Stahlgitter steigen, um zum Vorarbeiter zu gelangen, der gerade energisch Befehle erteilte. Der Mann trug einen Overall, eine Windjacke und einen gelben Schutzhelm.

Als er Thane sah, musterte er ihn mißtrauisch. »Sind Sie geschäftlich hier, Mister? Unbefugten ist das Betreten der Baustelle verboten.«

»Ich suche nur einen jungen Mann, der hier oben arbeiten soll«, antwortete Thane höflich. »Er heißt Sean Russell. Ist er da?«

Der Vorarbeiter runzelte die Stirn. »Sind Sie ein Freund?«

»Nein, aber ich wollte ihn mal besuchen«, erwiderte Thane. »Ich kenne seinen Vater.«

»Den alten Angus?« Der Vorarbeiter wurde sofort zugänglicher. »Angus ist ein paarmal mit seiner Kamera hier oben gewesen. Aber Sie haben heute leider kein Glück. Sean arbeitet nicht regelmäßig bei uns. Er kommt und geht, wie es ihm paßt. Ich habe ihn jetzt schon seit ein paar Tagen nicht mehr gesehen.« Der Vorarbeiter zuckte mit den Schultern. »Allerdings hatte er versprochen, heute morgen zu kommen, aber er ist bis jetzt nicht aufgetaucht.«

Thane schnitt eine Grimasse. Hinter ihnen hatten die Arbeiter begonnen, das Baumaterial auf einen Arbeitsaufzug zu verladen, der über einen tiefen Schacht im Berg führte.

»Wissen Sie zufällig, wo er wohnt?« fragte Thane. »Man hat mir gesagt, daß er einen alten Caravan...«

»Stimmt.« Der Vorarbeiter bedeutete Thane, ihm zu folgen, und führte ihn zu einem Aussichtspunkt über dem Wald. »Sie fahren jetzt die Straße zurück, die Sie gekommen sind. Sobald Sie wieder im Wald sind, achten Sie auf einen weißgekalkten Markierungsstein. Dahinter biegen sie nach links in einen Feldweg ein. Sie kommen dann zu einem alten, verfallenen Haus. Der Caravan steht ungefähr drei- oder vierhundert Meter weiter.«

»Danke, ich versuch's mal dort«, antwortete Thane und sah

nachdenklich auf den dichten Wald hinunter. »So ganz allein in dieser gottverlassenen Gegend... das muß ziemlich einsam für ihn sein«, fügte er dann hinzu.

»Er wohnt mit einem Freund zusammen«, erklärte der Vorarbeiter achselzuckend. »Die beiden haben Motorräder und fahren wie die Irren.« Er zwinkerte Thane zu. »Es gibt viele hübsche Mädchen in Aviemore, Mister, und die beiden genießen ihre Freiheit.«

Thane grinste und verabschiedete sich. Er war froh, als er wieder im warmen Auto saß und die Tür hinter sich zumachen konnte.

»Sean Russell ist nicht hier, aber ich weiß jetzt, wo der Caravan steht«, berichtete er Dunbar und rieb sich die kalten Hände. Dann deutete er auf das Funkgerät. »Gibt's was Neues?«

»Ja, Sir.« Dunbars Augen glitzerten. »Felix hat sich noch mal gemeldet. Benodets Mann ist tatsächlich bei Joan Harton aufgetaucht und hat ihr was übergeben. Danach ist er sofort wieder davongefahren. Kurz darauf hat Joan Harton ihren Austin aus der Garage geholt und ist im Eiltempo zur Firma Glendirk gefahren.«

»Hm, entweder hat Benodet nur Kontakt mit ihnen aufgenommen... oder er hat ihnen irgendein Ultimatum gestellt«, überlegte Thane laut. »Sandra soll die Augen offen halten. Sie achten auf das Funkgerät. Wir sehen uns jetzt mal diesen Caravan an.«

Thane ließ den Ford an und fuhr über den Parkplatz zurück auf die Straße und raste den Berg hinunter. Er hatte plötzlich das Gefühl, daß es jetzt auf jede Minute ankam.

Sie hatten gerade den Wald erreicht, als das Funkgerät wieder zu knacken begann. Diesmal war es Sandra Craig.

»Joan Harton ist gerade hier eingetroffen und durch das Tor ins Fabrikgelände gefahren«, berichtete Sandra. »Ich habe den Austin aus den Augen verloren, bleibe aber am Ball.«

Kaum war Sandras Funkspruch beendet, meldete sich Felix erneut. Jackton war ins Motel zurückgekehrt.

»Er hat offensichtlich seinen Auftrag erfüllt«, bemerkte Dunbar.

»Oder die erste Runde ist zu Ende«, murmelte Thane. Kurz darauf kam der weiße Markierungsstein am Straßenrand in Sicht. Thane bog nach links in einen Waldweg ab. Der Weg war schlecht. Sie holperten von einem Schlagloch zum anderen, und gelegentlich lagen abgebrochene Äste der dicht am Wegrand stehenden hohen Fichten in der Spur.

Dann mündete der Waldweg in eine Lichtung, auf der ein altes, verfallenes Bauernhaus stand. Thane lenkte den Ford quer über die Lichtung auf die Ruine zu und hielt im Schutz einer halbwegs intakten Seitenmauer an.

In diesem Moment meldete sich Sandra Craig erneut über Funk. Sie sprach aufgeregt.

»Hier ist irgendwas los«, erklärte sie hastig. »Joan Hartons Austin hat das Fabrikgelände wieder verlassen. Aber diesmal sitzt ein Mann am Steuer. Mehr kann ich im Moment nicht sagen.«

Dunbar schaltete das Mikrophon ein. »Und wohin fährt er?«

»Hm… in östliche, also eher in eure Richtung.«

»Passen Sie weiter auf«, wies Dunbar das Mädchen an, legte das Mikrophon weg und wandte sich an Thane. »Sie könnte recht haben.«

Thane nickte. Welche Nachricht den Leuten bei Glendirk von Benodet auch übermittelt worden war, sie schien wichtig gewesen zu sein. Thane beobachtete mit unbewegter Miene, wie Dunbar kurz seine Pistole überprüfte und sie dann in die Jackentasche steckte.

»Gehen wir«, sagte Thane, nachdem er mit seiner Webley dasselbe getan hatte. »Aber eines merken Sie sich, Francey. Ich hasse unüberlegte Schießereien, und ich mag keine Helden. Das sind nämlich meistens die Idioten, welche die erste Kugel abkriegen.«

Sie stiegen aus, vergewisserten sich, daß der Wagen gut hinter dem Haus versteckt war und liefen dann zwischen den Bäumen hindurch parallel zum Weg weiter.

Der Vorarbeiter am East-Coire-Lift hatte die Strecke exakt beschrieben. Genau dreihundert Meter weiter kam plötzlich wieder eine Lichtung, und dort stand in einer Senke neben einem Wildbach ein alter Wohnwagen.

»Sehen Sie mal, dort drüben.« Francey Dunbar, der sich neben Thane hinter einen Wall geduckt hatte, deutete nach links.

Thane folgte seinem Blick und entdeckte ein an einen Baumstumpf gelehntes Geländemotorrad. Dann betrachtete Thane erneut den Caravan. Ein Fenster war halb geöffnet, und aus dem rostigen Schornstein auf dem Dach stieg eine dünne Rauchsäule zum Himmel.

»Es scheint jemand zu Hause zu sein«, sagte Thane leise und hielt Dunbar mit einem raschen Griff zurück, als dieser aufstehen wollte. »Machen Sie keinen Unsinn. Dazu sind wir nicht hergekommen.«

Sie warteten. Es vergingen zehn Minuten, ohne daß irgend etwas passiert wäre. Insekten summten um sie herum. Dunbar rutschte ungeduldig hin und her, und Thane hatte plötzlich Verlangen nach einer Zigarette. Dann ertönte das Motorengeräusch eines näherkommenden Wagens.

Joan Hartons blauer Austin schoß auf die Lichtung und hielt an. Fast im selben Augenblick flog die Tür des Caravans auf.

Thane ächzte unterdrückt, als Pete Stanson aus dem Wohnwagen trat, und war noch mehr überrascht, als er den Mann erkannte, der aus dem blauen Austin stieg.

Es war Shug MacLean, der Brennmeister der Firma Glendirk. Francey Dunbar pfiff leise durch die Zähne.

Die beiden Männer wechselten ein paar Worte, wobei Shug MacLean aufgeregt gestikulierte. Stanson nickte und sprang in den Wohnwagen, während MacLean zum Auto zurückkehrte. Sekunden verstrichen, dann tauchte Stanson mit Motorradjacke und Helm wieder auf, ging zu der Geländemaschine, ließ sie an und wartete, bis MacLean den Austin gewendet hatte. Dann fuhren sie, Stanson auf dem Motorrad voraus, davon.

»Hm, der Chef hat offensichtlich zum Sammeln geblasen«,

murmelte Dunbar, als der Austin zwischen den Bäumen verschwunden war. »Shug MacLean... einer mehr auf der Liste.« Er sah stirnrunzelnd zum Caravan hinüber. »Aber was ist mit Sean Russell?«

»Das hat Zeit.« Thane gab Dunbar ein Zeichen aufzustehen und ging dann voraus über die Lichtung zum Wohnwagen.

Die Tür war verschlossen, aber das Fenster daneben stand noch immer halb offen, Thane griff hinein, bekam die Türklinke zu fassen, und im nächsten Moment waren sie im Wohnwagen.

Drinnen war es schmutzig und unordentlich. Die Einrichtung bestand aus zwei kojenartigen, ungemachten Betten, einem Kohlenofen und einer Kochnische, die so aussah, als hätte dort schon lange niemand mehr aufgeräumt oder saubergemacht. Auf dem Ofen brodelte ein alter Kaffeetopf, aber ein anderer penetranter Geruch verdrängte den Kaffeeduft. Thane rümpfte die Nase.

»Da haben wir's wieder«, seufzte Dunbar. Der süß-saure Amphetamingestank vermischte sich zwar mit kaltem Zigarettenrauch, war jedoch deutlich zu unterscheiden. »Sollen wir den Wohnwagen durchsuchen?«

Thane nickte, und sie begannen systematisch mit der Arbeit. Sie fanden ein altes blaues Hemd und eine graue Hose mit häßlichen gelben Flecken, die von einer chemischen Lösung stammen mußten. Dunbar gab einige auskristallisierte Reste davon in ein Plastiktütchen und steckte dieses in die Tasche.

Dann entdeckte Thane in einer Windjacke eine Handvoll Schrotpatronen und darunter eine einzelne Neunmillimeterpistolenkugel. Thane behielt die Kugel.

Als sie sicher sein konnten, daß sie nichts übersehen hatten, verließen sie den Caravan, machten sie Tür sorgfältig wieder zu und gingen durch den Wald zu dem verfallenen Bauernhaus zurück, wo sie den Ford abgestellt hatten.

Diesmal kamen sie in einem spitzeren Winkel auf das Bauernhaus zu, und als Thane zielsicher vorauslief, rief ihn Dunbar plötzlich zurück.

»Was halten Sie davon?« Dunbar zeigte auf deutliche Reifen-spuren im weichen Untergrund. »Ob noch jemand die beiden besucht hat?«

»Es können auch einfach Touristen gewesen sein«, sagte Thane, ohne wirklich davon überzeugt zu sein. Die Reifenspuren waren frisch und paßten nur zu gut zu einer Theorie, die Thane insgeheim aufgestellt hatte.

Dunbar suchte das Gras nach weiteren Spuren ab und kniete plötzlich neben einem kleinen, abgebrochenen Stechginster-busch nieder, der flachgedrückt auf dem Boden lag.

»Touristen?« wiederholte Dunbar sarkastisch, sah zu Thane auf und deutete dann auf das trockene Blut, das an den Blättern des Ginsters und an den Grashalmen daneben klebte.

»Sean Russell«, sagte Thane rauh. Als er Dunbars verständnis-lose Miene sah, fuhr er fort: »Vielleicht ist das ein Schachzug von Benodet. Er hat Russell in seiner Gewalt. Das ist vermutlich die Nachricht, die Jackton heute überbracht hat.«

Dunbar pfiff leise durch die Zähne. »Gestern, als wir gesehen haben, wie Benodet und diese Vassa ins Motel gefahren sind ...«

»... kamen sie wahrscheinlich von hier«, ergänzte Thane. »Wenn sie Stanson und Joan Harton von Glasgow nach Cross-glen gefolgt sind, dann haben sie vermutlich auch den Caravan hier entdeckt. Und falls sie sich dann gestern nacht hier auf die Lauer gelegt haben, dachten sie wahrscheinlich zuerst, sie hätten Stanson erwischt.« Thane zuckte mit den Schultern. »Und als Stanson später nach Hause gekommen ist, hat er sich wegen Rus-sell sicher keine Sorgen gemacht.«

»Warum auch? Er dachte wahrscheinlich, daß Russell bei ei-nem Mädchen ist.« Dunbar wurde ernst. »Und falls sie Russell für Stanson halten, dann ist er praktisch ein toter Mann, vor allem wenn Benodet annimmt, daß Stanson seinen Mann in Glasgow umgebracht hat.«

»Das ist doch nur ein Handlanger gewesen«, wehrte Thane ab. »Benodet steckt tief im Rauschgiftgeschäft mit drin. Er möchte mit zwanzig Kilo Amphetamin einen Riesenfischzug machen,

Francey. Und um an die Ware ranzukommen, braucht er einen lebenden Köder und keine Leiche, Francey.«

»Vermutlich haben Sie recht.« Dunbar stand seufzend auf.

»Okay, nehmen wir an, Russell lebt noch. Wo halten sie ihn dann gefangen?«

»An einem sicheren Ort«, erwiderte Thane und betrachtete nachdenklich die Reifenspuren. »Stanson und Russell haben jeder eine Geländemaschine. Wo ist Russells Motorrad?«

Wenige Minuten später fanden sie das Motorrad unter großen Fichtenzweigen versteckt hinter einem Baum. Thane hielt Dunbar zurück, als er die Maschine abdecken wollte. »Nein, Francey. Wir lassen ihnen noch freie Hand und spielen vorerst nur die stillen Beobachter.«

»Und was ist, wenn wir Russell tot finden?« fragte Dunbar besorgt.

»Dann kann er sich deswegen kaum bei uns beschweren«, antwortete Thane sanft.

»Wie Sie meinen«, murmelte Dunbar, und sie kehrten zu ihrem blauen Ford zurück. Kaum hatten sie die Bergstraße wieder erreicht, meldete sich Sandra Craig ärgerlich über Funk.

»Wir haben bisher vergeblich versucht, dich zu erreichen, Francey«, begann sie wütend. »Wo, zum Teufel, habt ihr zwei – du und dein Anfänger – gesteckt?«

Dunbar hustete und schaltete das Mikrophon ein. »Er sitzt neben mir. Ich frage ihn mal.«

Sie hörten Sandra Craig am anderen Ende unterdrückt aufschreien, dann war es still.

»Es … es tut mir leid, Superintendent«, sagte sie dann nach einer Weile. »Hier passiert laufend was. Jetzt ist der blaue Austin, gefolgt von einem Motorradfahrer, zur Fabrik zurückgekommen. Beide sind inzwischen im Gebäude verschwunden.«

Thane lenkte mit der linken Hand den Wagen und griff mit der rechten nach dem Mikrophon.

»Verstanden, Detective Constable Craig«, antwortete er gelassen. »Wir kommen selbst dorthin.« Dann fügte er mit einem verschmitzten Grinsen hinzu: »Und was den Anfänger betrifft, der bedankt sich für Ihre Fürsorge.«

Damit warf er das Mikrophon in Dunbars Schoß und konzentrierte sich wieder auf die Fahrbahn.

Kapitel
6

Eine Viertelstunde später hielten sie vor dem Fabriktor der Glendirk Whiskybrennerei an. Sie mußte warten, bis der Pförtner mit dem Büro telefoniert hatte, dann durften sie passieren.

Thane warf noch einen flüchtigen Blick auf die bewaldete Anhöhe auf der gegenüberliegenden Straßenseite, wo er Sandra Craig vermutete, und fuhr dann auf den Parkplatz der Firma Glendirk. Der einzige Wagen, der dort bereits stand, war Garretts grüner Volvo. Von Joan Hartons Austin und dem Geländemotorrad war nichts zu sehen.

Thane und Dunbar stiegen aus, gingen auf das Bürogebäude zu und betraten die Eingangshalle. Dort wurden sie von Joan Harton mit einem etwas nervösen Lächeln begrüßt.

»Neue Schwierigkeiten, Superintendent?« erkundigte sie sich.

»Keine, mit denen ich Sie belästigen würde«, erwiderte Thane und musterte Joan Harton flüchtig. Sie war ungeschminkt und trug einen alten Wollpullover und Jeans. Die Hostess der Firma Glendirk schien ihre Wohnung wirklich Hals über Kopf verlassen zu haben. »Aber ich würde gern Mr. Garrett einen Augenblick sprechen.«

»Er weiß schon, daß Sie hier sind.« Joan Harton lächelte gezwungen, warf hastig einen Blick über die Schulter und atmete sichtlich erleichtert auf, als sich die Tür an der Rückwand der Eingangshalle öffnete und Garrett in Begleitung von Shug Mac-Lean hereinkam. »Entschuldigen Sie, aber er mußte gerade mit

Shug noch was besprechen.«

Die beiden Männer blieben vor der Tür stehen, wechselten noch ein paar Worte, dann nickte der Brennmeister kurz und verschwand, ohne Thane und Dunbar eines Blickes zu würdigen. Garrett kam mit selbstsicherem Lächeln auf sie zu und begrüßte sie freundlich.

»Ich dachte, es würde Sie vielleicht interessieren, daß sich unser Verdacht bezüglich Carl Pender bestätigt hat«, begann Thane. »Er ist tatsächlich hier gewesen und hat in Aviemore übernachtet, bevor er weiter in den Norden gefahren ist.«

»Tja, dann müssen Sie wohl noch mal ganz von vorn anfangen«, bemerkte Garrett mitfühlend und sah dann Joan Harton an. »Wir wünschen Ihnen jedenfalls viel Glück, Superintendent. Wann wollen Sie uns verlassen?«

»Irgendwann im Laufe des Tages.« Thane zuckte mit den Schultern. »Ich habe übrigens heute morgen Ihre Frau in Aviemore getroffen. Sie hat mir erzählt, daß sie für ein paar Tage wegfährt. Ich möchte nicht, daß sie denkt, wir hätten ihr nachspioniert.«

»Margaret?« Garrett schnitt eine Grimasse. »Machen Sie sich um sie keine Sorgen. Die bringt so leicht nichts aus der Fassung. Aber ich möchte nicht, daß Sie mit leeren Händen gehen. Joan...«

Joan Harton war während des Gespräches an ihren Schreibtisch gegangen und kam jetzt mit zwei Flaschen Glendirk Whisky zurück.

»Eine kleine Kostprobe für Sie und den Sergeant«, erklärte Garrett. Dann sah er auf die Uhr. »Tja, ich habe noch viel zu tun, Superintendent. Hoffentlich haben Sie im Norden mehr Glück.«

Sie verabschiedeten sich, und Thane und Dunbar gingen zu ihrem Wagen zurück. Thane bedeutete Dunbar, sich hinters Steuer zu setzen, und nahm dann auf dem Beifahrersitz Platz, nachdem er die beiden Flaschen Whisky auf dem Rücksitz verstaut hatte.

»Okay, fahren wir, Sergeant«, seufzte Thane. »Solange wir hier sind, rührt sich nichts.«

»Aber jetzt glauben sie, daß wir verschwinden.« Dunbar gab Gas. »Was ist mit Pete Stanson? Er muß doch hier irgendwo sein...«

»Nach Aviemore!« befahl Thane ruhig, ohne auf Dunbars Frage einzugehen.

Während der Fahrt dachte Thane mehr an Sean Russell als an Stanson. Die Chancen des jungen Schilehrers standen schlecht, solange Benodet nicht erreicht hatte, was er wollte, und das Amphetamingeschäft nicht in der Tasche hatte. Aber Thane wußte, daß er Sean Russell im Augenblick nicht helfen konnte. Er mußte sich auf seinen Instinkt verlassen und abwarten.

»In Aviemore setzen Sie mich vor dem Polizeirevier ab«, sagte Thane schließlich. »Dann geben Sie Sandra und Felix Bescheid. Die beiden sollen von jetzt an das Motel beobachten.«

»Und was ist mit den Glendirk-Leuten? Bleiben die unbeobachtet?« fragte Dunbar erstaunt. »Warum?«

»Benodet muß ihnen irgendein Ultimatum gestellt haben«, erwiderte Thane. »Jetzt wartet er auf eine Antwort. Es muß also ein Treffen zustande kommen. Benodet ist kein Idiot, der einfach seine Telefonnummer verteilt. Von Felix und dem Mädchen weiß niemand etwas. Wenn Benodet also etwas unternimmt, dann können die beiden ihn beschatten.«

»Benodet hat zwei Autos zur Verfügung«, gab Dunbar zu bedenken.

Thane nickte. »Deshalb werden Sie ebenfalls zur Stelle sein... als Verstärkung. Falls alle drei fortfahren, könnten Sie kurz den Bungalow durchsuchen.« Thane lächelte flüchtig. »Sie werden ganz auf sich allein gestellt sein.«

»Und Sie ziehen mir dann die Hammelbeine lang, falls ich was verpatze«, murmelte Dunbar resigniert und konzentrierte sich auf den Verkehr.

Der Himmel hatte sich bewölkt, und als sie vor dem Polizeirevier von Aviemore anhielten, begann es leicht zu regnen. Thane stieg aus und ging hinein, während Dunbar zum Motel weiterfuhr. An

der Tür wäre Thane beinahe mit Angus Russell zusammenge-
prallt.

»Sie suche ich gerade«, erklärte Angus Russell erfreut. Der
Fotograf hatte wieder seine Schaffelljacke, die kakhifarbenen
Breeches und die Bergstiefel an. Über der rechten Schulter trug
er seine Kamera. »Nachdem Sie nicht im Hotel waren, hab' ich's
mal hier versucht.« Er grinste.

»Okay, und warum haben Sie mich gesucht?« erkundigte sich
Thane mit unbeteiligter Miene.

»Ich hab' was Neues für Sie«, sagte Russell und sah sich hastig
nach allen Seiten um. »Haben Sie schon Pläne?«

»Ja, wir reisen ab«, antwortete Thane lakonisch. »Was Sie uns
über Pender erzählt haben, scheint zu stimmen. Wir werden uns
weiter im Norden umsehen müssen.«

»Aha.« Russell versuchte vergeblich, seine Genugtuung zu
verbergen. »Und was ist mit dem langhaarigen Burschen, den Sie
wiederzuerkennen glaubten?«

»Falls es mein Mann war, ist er jetzt längst über alle Berge«,
log Thane. »Außerdem interessieren wir uns hauptsächlich für
Carl Pender.«

Russell nickte. »Grüßen Sie Superintendent Maxwell von mir,
wenn Sie nach Glasgow zurückkommen. Sagen Sie ihm, daß ich
weiterhin jederzeit bereit sein werde zu helfen.«

»Er wird sich freuen«, murmelte Thane mit ernster Miene.

Russell verabschiedete sich und ging. Kopfschüttelnd trat
Thane an die Empfangstheke, wo ein ihm unbekannter junger
Beamter Dienst tat. Doch bevor er noch etwas sagen konnte,
steckte Sergeant Henderson den Kopf durch eine Tür herein und
winkte Thane, zu ihm zu kommen.

»Ich mache gerade Mittagspause«, erklärte Sergeant Hender-
son, als Thane das Nebenzimmer betrat, und deutete auf einen
Teller mit belegten Broten und eine Thermosflasche mit Kaffee.
»Bitte bedienen Sie sich ruhig auch.«

»Danke.« Thane setzte sich auf einen freien Stuhl und nahm
ein Sandwich, während Henderson ihm eine Tasse Kaffee ein-

schenkte. »Ich habe soeben Angus Russell getroffen. Er war offensichtlich hier bei Ihnen. Was hat er gewollt?«

»Nichts Besonderes. Er wollte sich nur ein bißchen unterhalten.« Henderson musterte Thane nachdenklich. »Interessieren Sie sich für den alten Kauz?«

»Ja, mehr als er ahnt«, antwortete Thane.

Henderson nickte. »Wir haben schon lange den Verdacht, daß er dem S.C.S. und anderen Einheiten als Kontaktmann dient.« Henderson lächelte, als er Thanes überraschtes Gesicht sah. »Ihr Großstädter glaubt wahrscheinlich, daß wir hier abstumpfen und uns vor Langeweile das Heidekraut schon zu den Ohren rauswächst; aber uns entgeht eigentlich nicht viel.«

»Das ist mir längst aufgefallen, Sergeant«, mußte Thane zugeben. Jetzt hielt er die Zeit für gekommen, Henderson in alles einzuweihen.

Als Thane geendet hatte, schüttelte Henderson traurig den Kopf. »In sechs Monaten werde ich pensioniert. Hätten die Burschen nicht wenigstens so lange warten können? Und dann ziehen sie auch noch eine der besten Malzwhiskysorten in den Schmutz...«

Thane zuckte mit den Schultern. »Alles kann ich mir auch noch nicht zusammenreimen, aber ich hoffe, daß wir bald neue Informationen vom S.C.S. kriegen. Was können Sie mir eigentlich über Robin Garrett und seine Frau erzählen?«

Henderson schüttelte bedächtig den Kopf.

»Nicht viel«, mußte er zugeben. »Ich weiß auch nur, was man so über die beiden redet... und die Leute geben vor allem ihr die Schuld. Garrett tut einfach so, als sei nichts geschehen... aber es bleibt ihm wohl auch nichts anderes übrig.«

»Wie meinen Sie das?« erkundigte sich Thane.

»Nun, es geht natürlich um die Firma«, erwiderte Henderson geduldig. »Die Glendirk Whiskybrennerei gehört seiner Frau. Robin Garrett ist nur ein ganz gewöhnlicher Angestellter. Das weiß hier jeder.«

»Nur ich nicht«, murmelte Thane. »Eigentlich hätte ich es mir aber denken können...«

Er hatte lange nach einem Motiv gesucht, das den Leiter einer einträglichen Whiskybrennerei dazu bewegt haben könnte, sich auf das schmutzige und gefährliche Pflaster der Drogenszene zu begeben. Und Thane hatte plötzlich das Gefühl, daß Henderson ihm dieses Motiv gerade auf dem Tablett serviert hatte.

»Also wie können wir Ihnen jetzt helfen, Sir?« riß Henderson Thane aus seinen Gedanken.

»Zuerst möchte ich Ihr Polizeirevier gern als Operationsbasis benutzen«, antwortete Thane geschäftsmäßig. »Ihre Leute helfen uns bereits bei der Überwachung des Motels, aber ich mußte inzwischen zwei meiner Beamten von der Firma Glendirk abziehen. Könnte dort jemand von Ihnen einspringen?«

»Natürlich«, versprach Henderson und stand auf. »Ich schicke sofort zwei meiner Jungs hin.«

Eine Viertelstunde später meldeten die beiden bereits über Funk zum Revier zurück, daß sie in Stellung gegangen waren, und kurz darauf rief auch Dunbar an.

»Alles in Ordnung?« erkundigte sich Thane am Funkgerät der Polizei von Aviemore.

»Ja, bestens«, berichtete Dunbar gutgelaunt. »Joe Felix und Sandra sind auf ihrem Posten und jederzeit bereit, die Verfolgung aufzunehmen. Bis jetzt halten sich Benodet und die anderen beiden aber noch im Bungalow auf.«

Thane schaltete das Mikrophon aus und nickte zufrieden. Er hatte ein gutes Team, und die anderen schienen ihn langsam zu akzeptieren.

Die Zeit verging nur langsam. Thane trank Kaffee und rauchte eine Zigarette nach der anderen. Inzwischen hatte es zu regnen aufgehört, und die Sonne kam wieder durch.

Endlich, kurz nach zwei Uhr, begann das Funkgerät wieder zu knacken.

»Es muß was passiert sein, Sir«, meldete sich Francey Dunbar. »Benodet und die anderen kommen aus dem Haus. Es sieht so aus, als wollten sie beide Wagen benutzen.«

»Richten Sie Felix und dem Mädchen aus, daß sie so unauffällig wie möglich die Verfolgung aufnehmen sollen!« befahl Thane.

Nur wenige Minuten später gab Hendersons junger Detective Constable, der zusammen mit einem Kollegen die Firma Glendirk überwachte, durch, daß Robin Garrets grüner Volvo mit Garrett am Steuer und Joan Harton auf dem Beifahrersitz soeben das Fabrikgelände verlassen habe und in Richtung Aviemore davongefahren sei.

Dann war Thane erneut zu tatenlosem Warten verdammt. Es wurde halb drei Uhr, ohne daß etwas geschah. Um Viertel vor drei klingelte schließlich das Telefon. Der Anruf war für ihn. Maggie Fyffe war am Apparat. »Ich habe einige Informationen für Sie, Superintendent«, begann sie ohne Umschweife. »Sie warten sicher schon sehnsüchtig darauf. Also, ich fange mit Sean Russell an. In unserer Kartei haben wir nichts über ihn, aber er ist nach drei Jahren von der Uni geflogen, weil er sich zuviel um Mädchen und Alkohol gekümmert hat und zu keinem Examen mehr angetreten ist.«

»Was hat er studiert?«

»Chemie«, antwortete Maggie mit erhobener Stimme. »Ich dachte mir schon, daß Sie das interessiert. Sein Freund Pete Stanson ist kein unbeschriebenes Blatt. Er kommt aus einem gutbürgerlichen Haus, hat jedoch schon ein ansehnliches Vorstrafenregister... hauptsächlich wegen Körperverletzung. Vor ungefähr einem Jahr ist er nach Irland gegangen, um sich in seiner Schießwut endlich austoben zu können, aber dort haben die kämpfenden Parteien bald erkannt, daß Stanson nur ein unzuverlässiger Psychopath ist, und haben ihn wieder nach Hause geschickt.«

»Das paßt alles ausgezeichnet zusammen.« Thane atmete erleichtert auf. »Danke, Maggie. Und was haben Sie über die Firma Glendirk herausbekommen?«

»Recht interessante Dinge«, erwiderte Maggie am anderen Ende. »Ich habe mich lange mit einem der leitenden Herren von der Handelskammer in Edinburgh unterhalten. Finanziell ist die Firma gesund. Es gibt ein oder zwei Kleinaktionäre, und eine

Bank ist auch beteiligt, aber das scheint lediglich ein kluger Schachzug gewesen zu sein, zu dem man sich vor ein paar Jahren entschlossen hatte, als die Firma Geld brauchte ...«

»Die Brennerei ist damals gründlich modernisiert worden«, warf Thane ein.

»Ja, richtig. Das restliche Firmenkapital ist in ein Treuhand-vermögen eingebracht worden, über das Margaret Garrett die al-leinige Verfügunggewalt hat, solange sie lebt. Dann geht es an ih-ren Sohn aus erster Ehe, einen gewissen Keith ...«

»Keith Ornway«, unterbrach Thane sie. »Der Junge wird bald einundzwanzig.«

»Richtig. Dieser Keith hat verdammtes Glück. Sein Großvater hat mit der Errichtung des Treuhandvermögens dafür gesorgt, daß Margaret Garretts zweiter Mann nie an das Geld herankom-men kann.«

»Ja.« Thane hatte einen Augenblick beinahe Mitleid mit Robin Garrett. »Vielen Dank, Maggie, Sie haben wirklich gute Arbeit geleistet.«

»Ich bin noch nicht fertig«, entgegnete Maggie rasch. »Ich habe noch ein paar Zeitungsausschnitte über die Hochzeit der Garretts gefunden. Die Klatschspalten sind damals voll davon gewesen. Wollen Sie wissen, womit Garrett vor seiner Ehe sein Geld verdient hat? Er ist Chemiker in der Industrie gewesen.«

»Sehr interessant«, murmelte Thane. »Damit hätten wir wohl alles beisammen. Danke.«

»Ihre Frau hat übrigens angerufen, Superintendent. Sie bittet Sie, Forellen aus dem Speytal mitzubringen.«

»Forellen?« wiederholte Thane abwesend.

»Ja, zum Essen«, ergänzte Maggie. »Sie brauchen Sie nicht selbst zu angeln. Es gibt mindestens eine Forellenzucht in Avie-more. Und wenn Sie schon mal beim Besorgen sind, könnten Sie mir auch ein paar mitbringen ... als Belohnung dafür, daß ich für Ihren Freund Moss den Botenjungen gespielt habe.«

»Was soll denn das schon wieder heißen? Was hat er denn an-gestellt?«

Maggie lachte. »Er hat rausbekommen, daß ein paar Burschen morgen nacht einen Lohntransport überfallen wollen. Nur wird jetzt das Geldauto voller wütender Polizeibeamter stecken. Ich besuche ihn heute abend im Krankenhaus und sage ihm Bescheid.«

Damit legte sie auf. Thane ging unruhig im Zimmer auf und ab und dachte noch einmal über das nach, was er von Maggie Fyffe erfahren hatte. Alles drehte sich um zweiundzwanzig Kilo Amphetamin, die Robin Garrett über Nacht zu einem reichen, unabhängigen Mann machen konnten.

Das Warten machte Thane nervös. Sergeant Henderson hatte ihm gerade wieder eine Tasse Kaffee gebracht, als sich Dunbar kurz meldete.

»Ich bin jetzt fertig«, erklärte er. »Ich komme zu Ihnen.«

Fünf Minuten später betrat Dunbar zusammen mit Sandra Craig, die genüßlich an einem Krapfen kaute, das Polizeirevier. Thane erwartete sie in Hendersons Büro.

»Also was ist?« fragte Thane und betrachtete gespannt Dunbars zufriedenes Gesicht.

»Diesmal haben wir Glück gehabt«, antwortete der Sergeant grinsend.

Thane hörte aufmerksam zu, während Dunbar knapp und präzise berichtete, was geschehen war.

Nachdem Benodet mit seinen Leuten und den beiden Autos vom Motel abgefahren war, hatte Dunbar sich darauf verlassen, daß der Jaguar und der Fiat zusammenbleiben würden, und Sandra und Felix mit dem Mini-Cooper hinterhergeschickt, während er selbst mit dem Zweitschlüssel des Motelmanagers in den Bungalow eingedrungen war und ihn gründlich durchsucht hatte.

Das war jedoch pure Zeitverschwendung gewesen, denn er hatte nichts gefunden. Vom Wagen aus hatte er schließlich Funkverbindung mit Sandra und Felix aufgenommen und war dann zu dem Parkplatz im Zentrum von Aviemore gefahren, wohin die beiden dem grauen Fiat gefolgt waren. Benodet hatte nämlich unterwegs den Jaguar geparkt und war zu Miriam Vassa und Jackton in den Fiat umgestiegen.

Felix, Dunbar und Sandra waren den dreien anschließend zu Fuß durch die Stadt gefolgt. Miriam Vassa hatte sich allerdings schon nach wenigen Metern von den beiden Männern getrennt und war allein weitergegangen.

»Felix hat sie Sandra überlassen, und das ist unser Glück gewesen«, berichtete Dunbar grinsend. »Zu diesem Zeitpunkt haben wir uns in der Nähe des großen Brunnens auf dem Hauptplatz von Aviemore befunden, wo immer viel Betrieb herrscht. Mitten im Menschengewühl haben wir dann vor dem Brunnen Joan Harton entdeckt... Sie hat offensichtlich auf jemanden gewartet.«

»Was ist mit Garrett? Er ist mit ihr zusammen in die Stadt gefahren«, fragte Thane.

Dunbar zuckte die Achseln. »Falls er in der Nähe gewesen ist, hat er sich gut versteckt. Die Vassa ist jedenfalls zu Joan Harton gegangen, hat mit ihr ein paar Worte gewechselt, und dann sind die beiden in der Damentoilette des nächstbesten Hotels verschwunden...« Er sah Sandra Craig an.

»Ich bin natürlich hinterher«, berichtete Sandra Craig amüsiert. »Ich habe mich dort in eine Toilette eingeschlossen und auf diese Weise wenigstens ein paar Wortfetzen von ihrer Unterhaltung verstanden.«

»Und?« fragte Thane gespannt.

»Heute abend soll ein Treffen stattfinden«, antwortete Sandra. »Benodet soll bis zu einer Wegkreuzung fahren. Dort wartet ein Führer auf ihn, der ihn zum Treffpunkt bringen soll. Die besagte Wegkreuzung ist an einem Ort, der Fiddlers... soundso genannt wird... Den vollen Namen habe ich nicht verstanden.«

»Es dürfte sich leicht feststellen lassen, wo das ist«, bemerkte Thane, der wußte, daß sie bereits mehr als erwartet erfahren hatten. »Hat vielleicht eine der Damen was über Sean Russel gesagt?«

»Wenn ja, dann habe ich's jedenfalls nicht gehört.« Sandra

Craig schüttelte den Kopf. »Die Akustik in diesen Toiletten ist nicht besonders gut. Die Sache mit dem Treffpunkt habe ich auch nur deshalb verstanden, weil die Damen sich darüber gestritten haben. Joan Harton ist aber hart geblieben. Der Vorschlag mit dem Treffpunkt kam von ihr.«

Thane nickte und zündete sich eine Zigarette an.

Francey Dunbar räusperte sich. »Sind wir heute nacht dabei?«

»Ja, ich hoffe, daß die Bande uns zum Amphetamin führt«, antwortete Thane. »Was macht Benodet jetzt? Ist er wieder im Motel?«

»Ja. Joe Felix behält ihn im Auge«, erwiderte Dunbar. »Ihnen steht jetzt nur noch der Jaguar zur Verfügung, was uns die Sache natürlich erleichtert. Nach ihrem Treffen mit Joan Harton ist Miriam Vassa zu Benodet und Jackton zurückgekehrt, und die drei sind dann gemeinsam zu dem Jaguar zurückgegangen. Den grauen Fiat haben sie auf dem Parkplatz stehenlassen.«

»Joe Felix meint, er könnte einen kleinen Sender am Jaguar anbringen«, sagte Sandra Craig und sah Thane an.

Thane zog erstaunt eine Augenbraue hoch. »Hat er denn sowas mitgebracht?«

Sandra Craig lachte. »Felix hat immer einen Koffer voller elektronischer Geräte dabei.«

Zwanzig Minuten später hatte Joe Felix, getarnt als Laub rechender Gärtner, den Sender unauffällig unter dem Kofferraum des Jaguars angebracht.

Colin Thane hatte ihn dabei von dem kleinen Wäldchen über dem Motel aus beobachtet. Als er schließlich den kleinen, handlichen Empfänger einschaltete, den Felix ihm gegeben hatte, schlugen die beiden Nadeln, welche die Entfernung und die Richtung, in denen sich der Sender befand, anzeigten, sofort aus.

Der Sender wurde von einer Batterie betrieben, die für zwanzig Stunden ausreichte, und er hatte eine Reichweite von drei Kilometern.

Thane schaltete den Sender schließlich wieder aus, übergab

den Empfänger Sergeant Dunbar und ging dann ein Stück durch den Wald bis hin zu der Stelle, wo Sergeant Henderson im Ford wartete.

»Funktioniert das Ding?« erkundigte sich Henderson gespannt.

Thane nickte.

Henderson schüttelte bewundernd den Kopf. »Mann, und ich bekomme zittrige Hände, wenn ich mal 'ne Sicherung auswechseln muß. Aber dafür weiß ich jetzt, wo die Wegkreuzung liegen könnte, an der die sich treffen wollen. Ihre Kollegin hat den Namen falsch verstanden... Der Ort heißt Fedlas, nicht Fiddlers. Die Kreuzung von Fedlas liegt ungefähr sechs Kilometer nordöstlich von uns an der Nethy Road.« Hendersons Miene zeigte Verwunderung. »Dort gibt's weiter nichts als Wald und einen Picknickplatz für Touristen.«

»Das ist genau das, was unsere Freunde brauchen.« Thane warf einen Blick auf die Uhr. In ungefähr vier Stunden wurde es dunkel. Dann würde es losgehen. »Wie sieht es in der Umgebung dieser Kreuzung aus, Sergeant?«

»Gott, da gibt's wirklich nur Wald, Felsabhänge und vielleicht ein oder zwei Bauernhäuser.« Henderson zuckte mit den Achseln. »Dort trifft man eher Hirsche als Menschen.« Er rieb sich nachdenklich das Kinn. »Vielleicht sollte ich Sie doch lieber begleiten, Superintendent... Es könnte ja sein, daß Ihr Wundersender ausfällt.«

»Darum wollte ich Sie schon bitten«, gestand Thane. Er kaute einen Moment nachdenklich auf der Unterlippe. Benodet und die Leute von der Firma Glendirk wurden bewacht. Im Augenblick blieb der Polizei nichts weiter übrig, als zu warten. »Fahren wir aufs Revier zurück, Sergeant«, entschied Thane schließlich.

Vier Stunden waren eine lange Zeit. Francey Dunbar hatte inzwischen ihre Reisetaschen aus dem Ironbridge Hotel geholt und die Rechnung bezahlt. Es sollte tatsächlich so aussehen, als seien die beiden Polizeibeamten abgereist.

Um fünf Uhr fuhr dann Robin Garrett mit seinem Volvo von der Firma nach Hause. Zwanzig Minuten später raste Margaret Garrett am Steuer eines M.G.-Sportwagens in Richtung Edinburgh davon. Es dauerte nur eine halbe Stunde, bis ein Streifenwagen auf der A9 bestätigte, daß der M.G. tatsächlich nach Edinburgh unterwegs war.

Gegen Viertel vor sechs Uhr kehrte Garrett überraschend zur Whiskybrennerei zurück, und verließ das Firmengelände kurz darauf mit Joan Harton auf dem Beifahrersitz des Volvos. Ihnen folgte ein alter Landrover. Doch während der Volvo auf die Straße nach Aviemore einbog, fuhr der Landrover in die entgegengesetzte Richtung davon.

Thane nahm die diesbezügliche Funkmeldung im Polizeirevier gelassen entgegen. Er hatte ähnliches erwartet und war fast sicher, daß Shug MacLean und Stanson in dem Landrover saßen. Trotzdem ließ Thane die beiden Wagen nicht beschatten und setzte seine ganze Hoffnung auf Benodet.

Thane stand schließlich auf und ging zum Fenster hinüber, wo Francey Dunbar stand und nervös Kaugummi kaute.

»Bedrückt Sie irgendwas, Francey?« erkundigte sich Thane.

»Nein, Sir.« Dunbar sah weiter starr aus dem Fenster. »Der Beamte, der zuletzt mit Ihnen gearbeitet hat, hatte ein Magengeschwür, stimmt's?«

»Ja, aber das hatte er schon, bevor er bei mir anfing«, erwiderte Thane und mußte unwillkürlich lachen. »Also gut, Francey. Die anderen sollen sich fertig machen. Wir warten noch zehn Minuten, dann fahren wir los.«

Dunbar nickte erleichtert und lief zur Tür.

Es war Punkt sieben Uhr, als Thane und Dunbar die Kreuzung bei Fedlas erreichten. Sie stiegen aus und winkten Sergeant Henderson und Joe Felix kurz zu, die mit dem Ford sofort wieder weiterfuhren. Francey Dunbar hatte ein Infrarotfernglas um den Hals gehängt und trug ein Funkgerät in der Hand.

Henderson hatte behauptet, daß es an der Kreuzung von Fedlas nicht viel zu sehen gäbe, und das war richtig. Der Picknickplatz lag mitten im Wald und hatte außer ein paar Bänken und einer Abfalltonne nichts zu bieten. Es gab dort noch eine Kiefernschonung und einen schmalen Streifen Moorland.

Thane und Dunbar versteckten sich hinter einem Felsblock und warteten. Nach zwei Stunden froren sie, und ihre Muskeln wurden langsam steif.

Thane hatte das Infrarotfernglas übernommen, während Dunbar nach wie vor das Funkgerät in der Hand hielt. Sie wußten, daß irgendwo, ein paar hundert Meter weiter an der Straße Sergeant Henderson und Joe Felix im Ford in einem alten Steinbruch warteten. Dort parkte auch ein Streifenwagen mit vier Beamten von der Polizei in Aviemore. Nur Sandra Craig war ganz auf sich allein gestellt. Sie hatte die Aufgabe übernommen, Benodets Jaguar zu beschatten, sobald dieser den Parkplatz des Motels verließ.

Genau das war fünf Minuten zuvor geschehen. Sandra hatte sich bereits über Funk gemeldet und berichtet, daß der Jaguar in Richtung Fedlas Kreuzung fuhr. Am Steuer saß Jackton, und Mariam Vassa und Frank Benodet hatten auf den Rücksitzen Platz genommen. Drunten auf der Straße herrschte kaum Verkehr. Die Autos und Lastwagen, die während der vergangenen zwei Stunden vorbeigefahren waren, konnte man an den Fingern einer Hand abzählen.

»Lang kann's jetzt nicht mehr dauern«, murmelte Dunbar und wechselte die Körperstellung.

Thane nickte. Im nächsten Moment zischte er Dunbar eine Warnung ins Ohr und hob das Fernglas an die Augen. Auf der rechten Straße tauchte plötzlich ein Licht auf und kam näher. Sekunden später erkannte Thane, daß es ein Motorrad war.

Die Maschine stoppte in der Mitte der Kreuzung. Der Fahrer trug eine schwarze Lederkombination und einen Sturzhelm. Er sah sich kurz nach allen Seiten um, dann heulte der Motor wieder auf, die Maschine fuhr eine Schleife und raste den Weg zurück, den sie gekommen war.

»Stanson ist also der Führer«, murmelte Dunbar, als das

Rücklicht des Motorrades in der Dunkelheit verschwunden war.

»Sieht ganz so aus.« Thane ließ das Fernglas sinken. Er vermutete, daß das Geländemotorrad in dem Landrover transportiert worden war, der zusammen mit Garretts Volvo das Fabrikgelände der Firma Glendirk verlassen hatte. »Sagen Sie Henderson Bescheid.«

Dunbar sprach kurz über Funk mit Henderson, dann warteten sie schweigend weiter. Zehn Minuten später tauchten auf der Straße von Aviemore die Scheinwerfer eines Wagens auf.

Nach einer Minute erreichte der Jaguar die Kreuzung und hielt gut fünfzig Meter dahinter am Straßenrand an. Motor und Scheinwerfer blieben eingeschaltet. Sie sahen, wie sich der Fahrer eine Zigarette anzündete. Von den übrigen Insassen des Wagens war nichts als dunkle Schatten zu erkennen.

Dunbar sprach erneut kurz über Funk mit Henderson, als das Motorrad eintraf, im großen Bogen wendete und neben dem Jaguar anhielt. Nach einer kurzen Unterhaltung mit dem Fahrer des Jaguars setzte sich der Motorradfahrer wieder in Bewegung, bog an der Kreuzung nach rechts ab und raste, gefolgt von dem Jaguar, davon.

»Sergeant Henderson ist schon unterwegs«, verkündete Dunbar und schaltete das Funkgerät aus. »Bis jetzt klappt alles nach Wunsch.«

Thane nickte. Sie standen auf und liefen zur Straße hinunter.

Scheinwerfer blinkten auf, und Henderson und Joe Felix kamen in dem blauen Ford. Kaum hatte der Wagen angehalten, traf auch Sandra Craig mit dem Mini-Cooper, gefolgt von dem Streifenwagen, ein. Thane stieg zu Henderson und Felix in den Ford, während Dunbar wie verabredet auf dem Beifahrersitz des Minis Platz nahm. Dann setzte sich der kleine Konvoi in Bewegung und nahm die Verfolgung auf.

»Haben Sie sie?« fragte Thane Felix, der den Empfänger des Senders, den er zuvor an Benodets Jaguar angebracht hatte, auf dem Schoß hielt.

»Ja. Sie haben ungefähr einen Kilometer Vorsprung«, antwortete Felix konzentriert und starrte angestrengt auf den Richtungsanzeiger.

»Gut.« Thane wandte sich Henderson zu. »Halten Sie diesen Abstand, Sergeant. Wo führt diese Straße hin?«

»Durch das Hügelland zwischen Fedlas und Aviemore, und sie endet dann an der Cairngorm Road, Sir. Die einzigen Wege, die abzweigen, sind Forststraßen.«

Sie fuhren in gleichmäßigem Tempo auf der leeren Straße weiter. Das Mondlicht ließ Bäume und Felsen unheimlich verzerrt erscheinen. Nach einigen Kilometern stieß Felix plötzlich einen Fluch aus und starrte angestrengt auf die Meßgeräte an seinem Empfänger.

»Sie sind nach rechts abgebogen«, erklärte er dann. »Und zwar ungefähr einen halben Kilometer von hier entfernt. Fahren Sie langsamer, Sir. Ich bin nicht ganz sicher.«

»Das kann nur einer der Forstwege sein.« Henderson lachte leise. »Ja, jetzt fällt es mir ein… und es könnte stimmen. Da oben liegt ein altes, verlassenes Sägewerk. Vielleicht ist dort das Labor, das Sie suchen, Superintendent.«

Kurz darauf erreichten sie ebenfalls die Stelle, wo der Forstweg abbog, und Henderson lenkte den Ford vorsichtig um die enge Kurve. Der Forstweg war ungeteert. Henderson schaltete die Scheinwerfer des Fords aus, legte den niedrigsten Gang ein und fuhr langsam und vorsichtig im fahlen Mondschein weiter. Es war eine anstrengende Fahrt, und Henderson mußte sich dabei größtenteils auf sein Gedächtnis verlassen. Angestrengt durch die Windschutzscheibe starrend, lenkte er den Wagen bergauf.

Thane schwieg. Er wußte, daß er Henderson so am besten helfen konnte. Ab und zu ächzte der ganze Wagen, wenn sie über einen Felsbrocken fuhren oder in ein verstecktes Schlagloch krachten. Der Mini-Cooper und der Streifenwagen fielen immer weiter zurück.

Dann richtete sich Felix plötzlich abrupt auf. »Halt, da stimmt was nicht!« stieß er hervor. »Das Signal zeigt an, daß sie sich immer weiter nach links von uns entfernen.«

»Dann stimmt was mit ihrem verdammten Ding nicht«, fuhr Henderson ihn an, ohne den Blick von der Fahrbahn zu wenden. »Das hier ist der Weg zum Sägewerk.«

»Tut mir leid, aber das Gerät zeigt was anderes an«, entgegnete Felix energisch. »Sie sind nach links abgebogen und entfernen sich schnell.«

Plötzlich stieß Henderson einen Fluch aus und trat kräftig auf die Bremse. Dann drehte er sich zu Thane um. Sein Gesicht war im fahlen Mondlicht nur eine starre Maske.

»Ein Stück zurück biegt ein anderer Weg ab«, gab er resigniert zu. »Fragen Sie mich bitte nicht, warum die Burschen diesen Weg genommen haben. Es ist ein alter Holzfällerpfad, der durchs Gelände führt. Aber wenn sie dorthin sind...«

Henderson legte den Rückwärtsgang ein und fuhr langsam zurück. Der Mini-Cooper und der Streifenwagen taten dasselbe. Schließlich kam die Abbiegung in Sicht. Sie war von Bäumen und Büschen fast völlig verdeckt.

»Wo sind Sie?« erkundigte sich Thane.

»Ungefähr einen Kilometer voraus in dieser Richtung«, antwortete Felix und zuckte die Schultern. »Es muß 'ne verdammt kurvenreiche Strecke sein.«

»Das können Sie laut sagen«, bemerkte Henderson.

Auf diesem Weg kamen sie nun noch langsamer vorwärts als zuvor. Der Pfad führte steil bergan, und Henderson mußte ab und zu die Scheinwerfer einschalten, wenn ein hoher Felsklotz am Wegesrand das Mondlicht ausschloß, und alles plötzlich in Dunkelheit gehüllt war. Felix sagte eine Weile gar nichts mehr, doch dann drehte er sich um und sah Thane unglücklich an.

»Was ist los?« erkundigte sich Thane.

»Schluß. Ich habe keinen Empfang mehr.« Felix kaute auf seiner Unterlippe. »Ich verstehe das einfach nicht, Sir. Der Empfänger ist vollkommen in Ordnung. Entweder ist der Sender ausgefallen oder...« Er verstummte und schüttelte den Kopf.

»Na, gut.« Thane ballte einen Moment die Hände zu Fäusten,

dann faßte er den einzig möglichen Entschluß. »Wir werden nachsehen, was da los ist, Sergeant.«

Henderson nickte. Die Scheinwerfer des Ford flammten auf, und Henderson trat aufs Gas, daß Steine und Erde unter den Hinterrädern wegspritzten. Vor ihnen tauchte eine scharfe Rechtskurve auf. Henderson nahm Gas weg, schaltete in einen niederen Gang und nahm die Kurve fast im Rallyestil.

Dann kam eine Biegung nach der anderen, und Henderson bewältigte sie alle auf dieselbe Art und Weise. Der Mini-Cooper und der Streifenwagen waren bereits weit zurückgefallen. Felix empfing auch weiterhin kein Signal des Jaguars mehr, während sie den schwierigen Weg hinaufholperten. Dann tauchte im Scheinwerferlicht plötzlich eine alte Holzbrücke vor ihnen auf. Fast im selben Augenblick schrie ihnen Henderson eine Warnung zu und trat heftig auf die Bremse.

Der Ford schlidderte mit quietschenden Bremsen seitwärts auf die Brücke zu, und Thane stockte vor Schreck das Blut in den Adern.

Die Brücke war in der Mitte eingestürzt.

Der Ford rutschte unaufhaltsam weiter und geriet ins Schleudern, als er mit den Hinterrädern gegen einen Felsblock prallte. Die Achsen und die Hinterradfederung krachten gefährlich, dann blieb der Wagen nur wenige Meter vor der Brücke stehen.

»Allmächtiger!« stieß Joe Felix heiser hervor und starrte stumm vor Entsetzen auf die tiefe Wildwasserschlucht, die sich vor ihnen auftat.

Henderson folgte Thane, als dieser aus dem Wagen stieg, an den Rand der Schlucht trat und stumm von der Brücke auf die tosenden Wassermassen hinuntersah.

Tief dort unten leuchtete ein schwaches Licht.

Thane empfand Übelkeit, als ihm klar wurde, daß es der Jaguar sein mußte, der dort unten lag. Einer der Scheinwerfer schien noch immer zu brennen. Deshalb war der Sender plötzlich verstummt, und deshalb war die Brücke in der Mitte eingestürzt... Aber wie hatte das geschehen können? Thane sah Henderson an, der bleich und starr neben ihm stand.

»Wir müssen irgendwie da runter«, sagte Thane.

»Ja.« Henderson nickte. Sein Blick schweifte zum Weg zurück, wo eben der Mini-Cooper und der Streifenwagen hinter dem Ford angehalten hatten. »Aber ich bin dagegen, daß wir etwas überstürzen, Superintendent. Der Abstieg da hinunter ist lang und gefährlich... und wir werden es so machen, wie wir's – das heißt ich und meine Leute – jahrelang trainiert haben.« Er fuhr sich nervös durch die Haare. »Ein falscher Tritt, und Sie brechen sich das Genick. Keiner der Wageninsassen hat das überlebt, da bin ich sicher.«

Thane mußte sich eingestehen, daß Henderson mit seiner vernünftigen, logischen Denkweise recht hatte. Während der Sergeant und seine Leute Seile und Taschenlampen aus dem Streifenwagen holten, kehrte Thane allein zu Brücke zurück.

Im grellen Licht der Autoscheinwerfer war die einfache, aber stabile Holzkonstruktion der Brücke deutlich zu erkennen. Schwere Balken, in der Stärke von Eisenbahnschwellen, waren dicht nebeneinander über der Grundkonstruktion befestigt worden und bildeten die Fahrbahnoberfläche. Das Geländer war aus ebenso stabilen Balken gezimmert. Und trotzdem war die Brücke wie eine Streichholzkonstruktion in der Mitte durchgebrochen. Auf der anderen Seite des gähnend schwarzen Loches baumelte ein zersplitterter Trägerbalken in die Tiefe.

Seltsamerweise war die Bruchstelle auf Thanes Seite vollkommen glatt. Nichts, nicht einmal ein abgebrochener Nagel ließ darauf schließen, daß...

»Sir?« Sandra Craigs besorgte Stimme riß Thane aus seinen Gedanken. »Kann ich... kann ich Ihnen irgendwie helfen?«

Sie hielt eine Taschenlampe in der Hand. Thane nickte und nahm ihr wortlos die Lampe ab, kniete nieder und betrachtete den letzten Balken vor der Bruchstelle genauer. Die Holzoberfläche wies hier Spuren auf, die eine deutliche Sprache sprachen. Langsam wurde Thane klar, warum die Brücke eingestürzt war.

Man hatte Benodet kaltblütig in eine tödliche Falle gelockt.

Sein Fehler war es gewesen, daß er seinem Führer blind vertraut hatte. Aber wie war der Führer auf dem Motorrad entkommen?

Ohne Sandra Craigs besorgte Miene zu beachten, ging Thane vorsichtig bis zur Mitte der Brücke und wieder zurück, wobei er sämtliche Planken im Schein der Taschenlampe gründlich untersuchte. Ungefähr eineinhalb Meter vor der Bruchstelle fand er auf der rauhen Oberfläche einige frische Nagellöcher. Ein Nagel steckte sogar noch in der Planke, und unter dem Nagelkopf hing ein Stück eines einfachen, hellen Holzbretts.

»So haben sie's also gemacht«, sagte er bitter und kehrte zu Sandra Craig zurück. »Zuerst haben sie den Mittelteil der Brücke zum Einsturz gebracht und dann das Loch mit ein paar Holzbrettern überbrückt, so daß ein Motorradfahrer, der wußte, worauf es ankam, ohne Schwierigkeiten hinüberfahren konnte, während der nachfolgende schwere Wagen in die Tiefe stürzen mußte.« Thane holte tief Luft. »Wo ist Francey?«

»Dort drüben.« Sandra deutete zum Rand der Schlucht, wo Hendersons Männer im grellen Licht eines Scheinwerfers Seile an der Felswand hinunterließen. »Er will runterklettern.«

»Kommt nicht in Frage. Holen Sie ihn und Sergeant Henderson her.« Die Hände tief in den Taschen vergraben, wartete Thane, bis Dunbar und Henderson zu ihm kamen. Ihren Gesichtern war abzulesen, daß Sandra Craig ihnen bereits einiges mitgeteilt hatte. Thane war froh, daß sie keine Fragen stellten. »Wo führt der Weg hinter der Brücke weiter?«

»Es ist, wie gesagt, nur ein alter Holzfällerweg«, antwortete Henderson. »Soviel ich weiß, führt er im weiten Bogen drüben durch den Wald und dann auf die Nethy Road zurück. Aber…«

»Genau!« unterbrach Thane ihn und wandte sich abrupt an Dunbar. »Francey, Sie nehmen einen Wagen und fahren mit Felix und Sandra nach Aviemore zurück, holen Verstärkung und verhaften so viele von Garretts Leuten, wie sie erwischen können. Verstanden?«

»Ja.« Francey sah an Thane vorbei zu dem großen dunklen Loch in der Brückenmitte, und sein Mund wurde schmal. »Und wenn sie alle verduftet sind?«

»Dann suchen Sie sie!« antwortete Thane scharf, wandte sich an Henderson und fragte diesen: »Klettern Sie in die Schlucht runter?«

Henderson nickte.

»Gut. Ich komme mit«, erklärte Thane.

Henderson versuchte erst gar nicht, Thane von seinem Entschluß abzubringen, sondern ging schweigend mit ihm zu den Seilen hinüber, während Francey Joe Felix holte und mit ihm zu dem Mini-Cooper lief, in dem Sandra Craig bereits wartete.

Kapitel
7

Selbst mit Hilfe der Seile war der Abstieg in die Schlucht gefährlich und anstrengend. Colin Thane war froh, als er unten ankam. Er stellte sich neben Henderson und zwei jungen Polizeibeamten auf den schmalen Felsvorsprung über dem tosenden Fluß.

»Vorsicht!« warnte Henderson ihn. »Das Wasser ist hier ziemlich tief und eiskalt, und die Strömung ist reißend.«

Thane nickte. Die Brücke über ihnen war nur noch als dunkle Silhouette gegen den Nachthimmel erkennbar. Ungefähr zehn Meter dahinter brannte unter Wasser noch immer ein Scheinwerfer des Jaguars.

»Was ist, wenn sich jemand noch aus dem Wagen retten konnte?« fragte Thane.

»Dann ist es für ihn noch ein verdammt weiter Weg flußabwärts«, antwortete Henderson und fuhr fort: »Ich habe über Funk Verstärkung angefordert. Wir brauchen dringend mehr Leute. Trotzdem können wir mit der Arbeit schon mal anfangen.«

Damit wandte sich Henderson ab und sprach kurz mit einem

seiner Männer. Daraufhin begann dieser sich auszuziehen, während sein Kollege ein dünnes Seil abrollte und eine Unterwassertaschenlampe bereitlegte.

Dann band sich der Polizist das Seil um die Taille, und das andere Ende wurde an einer vorstehenden Felsnase befestigt. Der Mann nahm die Taschenlampe, holte tief Luft, sprang ins Wasser und schwamm mit kräftigen Schwimmzügen halb gegen die Strömung bis zur Mitte des Flusses. In der Nähe des Lichtscheins tauchte er blitzschnell unter.

Thane und den anderen kam es wie eine Ewigkeit vor, bis der Mann wieder auftauchte und ihnen etwas zurief. Zu dritt holten sie ihn schnell mit dem Seil an Land.

Henderson legte dem frierenden Beamten seinen Mantel um die Schultern und sah ihn erwartungsvoll an. »Also, was ist?«

»Alle drei sind noch im Wagen«, antwortete der Polizeibeamte und klapperte mit den Zähnen. »Der Wagen liegt auf der Seite und ist schwer beschädigt.« Thane reichte ihm eine Zigarette. »Eines der Rückfenster ist halb geöffnet... Vermutlich hat einer der Insassen versucht noch rauszukommen, aber...« Er hielt inne und schüttelte nur den Kopf.

»Gut. Ziehen Sie sich an und klettern Sie wieder rauf«, befahl Thane ihm. »Im blauen Ford auf dem Rücksitz liegt eine Flasche Whisky. Sie haben einen kräftigen Schluck verdient.«

»Augenblick, Sir«, sagte der frierende Polizist verlegen. »Dort... dort unten befindet sich noch eine Leiche.«

»Was soll das heißen?« erkundigte sich Henderson verblüfft. »Sie haben doch gesagt, daß drei Leute im Wagen...«

»Ja, im Wagen«, unterbrach der Mann Henderson und wandte sich dann an Thane. »Aber es hat sich noch ein Toter irgendwo an der Karosserie verfangen, Sir. Ich habe ihn nur flüchtig vor dem Auftauchen gesehen.«

»Sind Sie sicher?« fragte Thane.

»Ja, ich habe ihn ja gesehen«, antwortete der junge Polizist.

»Das muß Stanson sein«, murmelte Henderson und bedeutete dem jungen Mann, sich anzuziehen. »Die notdürftig befestigten

Bretter haben offensichtlich ihn und das Motorrad doch nicht ausgehalten.«

»Ja.« Thane starrte einen Moment schweigend auf die schäumende Wasseroberfläche. Der Lichtschein der Autolampe unter Wasser wurde immer schwächer. Aber Thane hielt die Ungewißheit plötzlich nicht mehr aus. Er holte tief Luft. »Geben Sie mir das Seil... und die Taschenlampe, Sergeant.«

Ohne Hendersons Proteste zu beachten, zog Thane sich schnell aus, band das Seil um die Taille, nahm die Taschenlampe und sprang.

Das eiskalte Wasser nahm ihm im ersten Moment den Atem. Nach Luft ringend, kämpfte er gegen die Strömung an, bis er ungefähr die Flußmitte erreicht hatte. Dann ließ er sich bis zu der Stelle treiben, wo schwach das Licht im Wasser leuchtete, und tauchte hinunter.

Mit Hilfe der Unterwasserlampe fand er den Jaguar sofort, hielt sich an der Karosserie fest und warf einen Blick durchs Fenster. Jackton saß zusammengesunken hinter dem Steuer, und Benodet und die Frau lagen auf dem Rücksitz.

Thane tastete sich hastig weiter zum Heck des Wagens. Der Deckel des Kofferraums war aufgesprungen, und eine Ecke hatte sich zwischen zwei Felsbrocken festgeklemmt. Aus der Öffnung hing der leblose Oberkörper eines Mannes.

Thane richtete die Taschenlampe auf den Toten. Aber es war nicht Stanson. Der Mann war blond und jung, trug eine Lederjacke und war an den Händen gefesselt. Thane hatte Sean Russell gefunden.

Seine Lungen begannen zu schmerzen, und er tauchte hastig auf. Kaum hatte er den Kopf über Wasser, holte er Luft, schrie den Männern an Land etwas zu und spürte im nächsten Moment, wie das Seil eingeholt wurde.

Später erinnerte sich Thane nur dunkel, daß ihn jemand mit einer Jacke trockenfrottiert hatte, während er seine Gliedmaßen vor Kälte kaum noch gespürt hatte.

Oben im Ford saß noch immer der junge Polizeibeamte, der vor ihm im Fluß gewesen war. Er reichte Thane wortlos die geöffnete Whiskyflasche. Thane trank einen Schluck, und der Whisky brannte wie Feuer in seinem Magen.

Es dauerte fast eine halbe Stunde, bis Thane sich soweit erholt hatte, daß er wieder aussteigen und zu den anderen hinübergehen konnte. Inzwischen war ein Tauchtrupp der Polizei eingetroffen, den Henderson angefordert hatte, und Thane beobachtete die Männer mit undurchdringlicher Miene bei ihrer grausigen Bergungsarbeit.

Vier Tote, dachte Thane, und der Gedanke, daß er dieses Unglück hätte verhindern können, wenn er anders gehandelt hätte... wenn er nämlich nicht alles darauf gesetzt hätte, daß Benodet ihn zum Lagerplatz des Rauschgifts führen würde, quälte ihn. Aber hatte es überhaupt eine andere Möglichkeit gegeben?

Immer wieder tauchte vor Thanes geistigem Auge das Bild des toten, hilflos im Kofferraum gefangenen Sean Russell auf. Und das war das Schlimmste.

Benodet hatte Russell seit mindestens vierundzwanzig Stunden gefangengehalten. Und die meiste, wenn nicht sogar die ganze Zeit über mußte der Junge gefesselt, eingezwängt und vermutlich auch fast wahnsinnig vor Angst im Kofferraum des Jaguars gelegen haben. Und schließlich waren es seine Freunde gewesen, die ihn – bewußt oder unbewußt – geopfert hatten.

In diesem Moment kam Francey Dunbar allein mit dem Mini-Cooper zurück. Er sprach zuerst kurz mit Henderson und kam dann zu Thane.

»Tut mir leid, Sir.« Dunbar schüttelte traurig den Kopf. »Wir haben nichts erreicht. Garrett, die Harton, MacLean und Stanson sind spurlos verschwunden.« Er zuckte mit den Schultern. »Aber ich kann nicht glauben, daß sie schon über alle Berge sein sollen... wenigstens so schnell nicht.« Er musterte Thane aufmerksam. »Sie sehen ziemlich mitgenommen aus, Sir. Henderson hat mir erzählt...«

»Schon gut«, unterbrach Thane ihn schroff. »Sie glauben also, daß die Bande noch nicht fort ist. Warum?«

»In Joan Hartons Haus steht ein gepackter Koffer. Außerdem haben wir MacLeans Frau aus dem Bett geholt. Sie glaubt fest, daß ihr Mann Nachtschicht hat. Und er hat ihr gesagt, daß er sich am Morgen eine Brennerei im Süden ansehen muß, die Garrett kaufen möchte... Garretts Volvo steht übrigens auf einem Parkplatz in Aviemore.«

»Gut.« Thane starrte an Dunbar vorbei in die Dunkelheit. »Ist alles für den Fall vorbereitet, daß sie doch noch auftauchen?«

»Ja, Sir.« Dunbar nickte. »Ein Inspektor von der Northern Constabulary und ein Überfallkommando sind eingetroffen. Hendersons Chef hat sich bereits Sorgen gemacht...«

Aber Thane war sicher, daß Garrett irgendwo die Flucht vorbereitete. Er starrte nachdenklich zum Fluß hinunter. Bevor Garrett und seine Komplicen das Speytal verlassen konnten, mußten sie das Amphetamin aus dem Versteck holen. Möglicherweise nahmen sie sich sogar die Zeit, auch die letzten Spuren zu verwischen, die verraten konnten, wo und von wem das Amphetamin hergestellt worden war.

Irgendwo dort draußen in der Dunkelheit mußten sie sein. Aber wo sollte man in dieser endlosen Wildnis anfangen, sie zu suchen?

»Die tauchen wieder auf«, bemerkte Dunbar zuversichtlich, als hätte er Thanes Gedanken erraten.

»Vielleicht.« Thane holte tief Luft. Er wußte, daß es nur eines gab, das er tun konnte... tun mußte. »Bleiben Sie am Ball, Francey. Ich fahre zu Angus Russell. Jemand muß es ihm schließlich sagen...«

Damit stieg Thane in den Ford, ließ den Motor an, wendete mit quietschenden Reifen und fuhr den schmalen Problemweg hinunter. Dunbar sah ihm kopfschüttelnd nach.

Es war kurz vor drei Uhr morgens, als Angus Russell auf Thanes lautes Klopfen hin öffnete. Der kauzige Fotograf trug einen alten Morgenmantel über dem Pyjama und sah Thane schlaftrunken an. Dann machte er die Tür vollständig auf. Thanes Gesichtsausdruck schien ihm genug zu sagen.

Er führte den Polizeibeamten in das unordentliche Wohnzimmer, holte wortlos eine Flasche Whisky, schenkte zwei Gläser davon ein und reichte eines mit zitternder Hand Thane.

»Hier!« Dann trank er einen kräftigen Schluck. »Es ist wegen Sean, stimmt's?« fragte er schließlich resigniert.

»Ja«, antwortete Thane.

Russell fuhr sich mit der Zunge über die trockenen Lippen. »Und Sie würden wohl kaum zu dieser späten Stunde zu mir kommen, wenn...«

»Er ist tot«, sagte Thane leise. »Es tut mir sehr leid.«

Russell stellte sein Glas ab und wandte sich ab. Als er sich wieder umdrehte, wirkte sein Gesicht alt und eingefallen.

»Wie ist das passiert?« fragte er heiser.

Thane erzählte ihm in groben Zügen, was geschehen war.

Russell nickte müde, als Thane geendet hatte und ließ sich in einen Sessel fallen.

»Wer ist noch bei ihm gewesen?« wollte er wissen.

»Leute aus London.« Thane zögerte. »Keine Freunde... und es ist auch kein Unfall gewesen.«

Russell hob den Kopf. »Sie meinen...«

»Seine Komplicen hatten ihn offensichtlich abgeschrieben«, antwortete Thane. »Sie haben doch gewußt, daß er bis zum Hals in Schwierigkeiten steckte, stimmt's?«

Russell nickte und schloß die Augen. Thane ließ ihm Zeit, sich wieder zu fassen.

»Er ist ein unverbesserlicher Dummkopf gewesen«, sagte Russell schließlich mit tonloser Stimme. »Er hat seine Chance gehabt... und er hätte es schaffen können.« Russells Stimme klang nun bitter. »Aber ein Sohn bleibt ein Sohn, was auch geschieht, Superintendent. Ich habe gedacht... ach was, das ist jetzt gleichgültig. Ich wußte, daß er in irgendwas verwickelt war..., und zwar schon lange, bevor Sie hier aufgekreuzt sind.«

»Ja, und ich habe zwar meistens die richtigen Fragen gestellt, aber leider immer die falschen Antworten bekommen«, bemerkte Thane.

Russell nickte. »Ja, ich habe versucht, Sie von der richtigen Fährte abzubringen. Dann... nun, dann habe ich gestern nacht und den ganzen Tag lang versucht Sean zu finden. Aber...« Er zuckte die Achseln. »Also er und sein Freund Stanson... Und wer sind die anderen? Garrett und seine Leute aus der Whiskybrennerei? Ich habe jetzt ein Recht, alles zu erfahren.«

»Ja, natürlich«, stimmte Thane zu. »Diese Leute haben Ihren Sohn umgebracht. Vielleicht unbewußt... vielleicht bewußt, aber sie haben ihn getötet.«

»Warum, Superintendent? Warum?«

»Wegen einer Reihe von bewaffneten Banküberfällen und Rauschgift im Wert von mehreren Millionen Pfund«, antwortete Thane, ohne etwas zu beschönigen. Als Russell ihn nur ungläubig anstarrte, erzählte er ihm die ganze Geschichte von Anfang an.

Russell sank völlig in sich zusammen. Thane hatte Mitleid mit dem alten Mann, wußte jedoch, daß er jetzt nicht nachgeben durfte, wenn er sein Ziel doch noch erreichen wollte.

»Ich bin Ihnen dankbar, daß Sie mir endlich reinen Wein eingeschenkt haben«, murmelte Russell, als Thane geendet hatte. »Wenn ich gewußt oder nur geahnt hätte, daß es so schlimm war...« Er verstummte. Dann hob er energisch den Kopf, und in seinen Augen blitzten Wut und Verachtung auf. »Und wo sind sie jetzt... Garrett und die anderen?«

»Wissen Sie das nicht?« Thane hob abwehrend die Hand, als der alte Mann zornig protestieren wollte. »Denken Sie nach. Es muß irgendwo in den Bergen ein Versteck geben, das Ihr Sohn gekannt hat... ein Versteck, in dem man ein Labor einrichten konnte, und wo man nie Gefahr lief, entdeckt zu werden.«

»Mein Gott, Superintendent, wissen Sie überhaupt, wovon Sie reden? Sie reden von mehr als hundert Quadratkilometern menschenleeren, unwegsamen Berglandes«, antwortete Russell müde. »Ich bin dort draußen tagelang herumgewandert, ohne einem Menschen zu begegnen.«

»Also gut, dann versuchen wir's anders.« Thane schenkte sich und Russell noch je ein Glas Whisky ein. »Ich glaube, daß es eine Hütte oder ein verlassenes Bauernhaus sein muß, das nahe genug an einem Weg liegt, der mit Autos befahrbar ist. Versuchen Sie sich doch mal zu erinnern, ob Sean Ihnen gegenüber vielleicht mal irgendeine Andeutung gemacht hat.«

Russell dachte stirnrunzelnd nach. Schließlich schüttelte er den Kopf. »Wir haben in letzter Zeit nicht oft miteinander gesprochen...« Plötzlich stellte Russell sein Glas abrupt ab und stieß einen unterdrückten Fluch aus. Dann sprang er auf, ging zu seinem Schreibtisch und begann aufgeregt in seinen Fotos zu wühlen. Schließlich schien er gefunden zu haben, was er suchte, betrachtete das Bild eingehend und sagte dann: »Vielleicht bringt uns das weiter.«

Thane stellte sich neben ihn. Auf dem Farbfoto war ein Hirschrudel zu sehen, das gerade eine Anhöhe überquerte, wobei sich die Silhouette des Leithirsches eindrucksvoll gegen den Himmel abhob. Es war ein gutes Bild.

»Das Foto habe ich ungefähr vor einem Monat gemacht«, erklärte Russell und kaute nachdenklich auf der Unterlippe. »Als ich es Sean gezeigt habe, wollte er unbedingt wissen, wo ich das Bild aufgenommen habe. Erst als ich ihm sagte, daß ich westlich von hier drüben beim Cairn Dulnan gewesen war, zeigte er sich an der Sache plötzlich nicht mehr interessiert.«

»Vielleicht hatte er Angst, Sie könnten an einer anderen Stelle gewesen sein«, meinte Thane.

»Ja, daran habe ich eben gedacht.« Russell runzelte die Stirn. »Möglicherweise hat ihn die Form des Hügels getäuscht. Eine ähnliche Erhebung gibt's nämlich östlich von hier, im Hochland beim Glen Avon. Das ist 'ne verdammt einsame Gegend. Bis auf...«

»Was?« Thane sah ihn gespannt an.

»Auf eine alte Jagdhütte in der Nähe.« Russell holte tief Luft. »Sie hat einer englischen Familie gehört, von der sie als Ferienhaus benutzt wurde. Allerdings sollen die Leute die Hütte vor ein paar Monaten verkauft haben. Es führt ein Pfad fast bis vor die Haustür… Aber man muß die Gegend gut kennen, um den Weg zu finden. Und eigentlich ist er nur mit einem Landrover befahrbar.«

»Das ist natürlich eine Möglichkeit«, meinte Thane. »Was Besseres haben wir im Moment nicht.«

»Sie brauchen einen Führer«, sagte Russell entschlossen.

Thane nickte.

»Danke.« Russell legte das Foto beiseite. »Ich bin in zehn Minuten fertig.«

Es dauerte nicht einmal ganz zehn Minuten, bis Russell in Breeches, Windjacke und Bergstiefeln wieder erschien. Gemeinsam verließen sie das Haus. Als Russell seine Haustür abschloß, sah Thane, daß eine schlanke Gestalt am vorderen Kotflügel seines Fords lehnte.

Es war Francey Dunbar, und der junge Sergeant rührte sich nicht vom Fleck.

»Was, zum Teufel, machen Sie hier?« erkundigte sich Thane scharf.

»Ich warte auf Sie«, antwortete Dunbar und deutete auf den Mini-Cooper, der hinter dem Ford parkte. Daneben standen Joe Felix und Sandra Craig. »Wir… wir hielten das für eine gute Idee.«

»Na, schön.« Thane schluckte. Er war gerührt. »Ich kann euch brauchen«, erklärte er schroffer als beabsichtigt. »Wir haben vielleicht eine Spur, wo Garrett sein könnte.«

Dunbar pfiff überrascht durch die Zähne und sah zu Angus Russell hinüber.

»Er wird uns führen«, fuhr Thane fort, sah Dunbars fragende Miene und nickte. »Ich habe ihm alles über seinen Sohn erzählt. Es war seine Idee… und wir nehmen seinen Landrover.«

»Sollen wir Henderson und seinen Leuten Bescheid sagen?« erkundigte sich Dunbar.

»Ja. Geben Sie über Funk durch, wohin wir fahren. Russell

sagt es Ihnen. Wir melden uns dann erst wieder, wenn wir Hilfe brauchen.«

»Amen«, seufzte Dunbar und ging zu Russell hinüber, der bereits ungeduldig neben seinem Landrover wartete.

Wenige Minuten später verließen sie zu fünft im Landrover Russells Grundstück. Die Straßen von Aviemore waren um diese Zeit leer und verlassen. Sie fuhren ungefähr einen Kilometer auf der Landstraße in Richtung Osten, dann bog Russell plötzlich auf einen schmalen, holprigen Weg ab, der sich in vielen Kurven bergauf wand. Das Getriebe des alten Landrovers krachte gefährlich, als Russell in den ersten Gang herunterschaltete. Thane, der neben Russell auf dem Beifahrersitz saß, sah sich nach Felix, Dunbar und Sandra Craig um, die dichtgedrängt im Fond kauerten und besonders schlimm durchgeschüttelt wurden. Felix hielt ein Funkgerät auf dem Schoß.

»Ist es weit?« erkundigte sich Thane vorsichtig.

»Bei Tag braucht man ungefähr eine Stunde«, antwortete Russell abwesend. Er konzentrierte sich angestrengt aufs Fahren. »Ich bin nachts noch nie hier gefahren.«

Sie holperten über einen Erdhügel. Dunbar fluchte unterdrückt.

»Ist der ganze Weg so schlecht?« fragte Thane weiter.

»Schlecht? Jetzt? Das ist das beste Stück«, entgegnete Russell desillusionierend.

Und es stimmte, was er sagte. Sie kamen durch einen Wald, und dahinter stieg der Weg noch steiler an. Fast gleichzeitig tauchte plötzlich der Mond hinter einer Wolkenbank auf, und in seinem silbrigen Licht sahen sie rechts unter sich Wasser glitzern. Sonst bestand die Gegend nur aus Hügeln und Felsen. Die Fahrspur war auf dem Fels- und Schotteruntergrund kaum sichtbar. Der Landrover kam jetzt nur noch im Schrittempo vorwärts.

Langsam krochen sie immer höher hinauf. Bald spürten sie den Druck in ihren Ohren. Russell war ein schweigsamer und konzentrierter Fahrer. Nur einmal, als ein schottisches Schneehuhn dicht vor dem Landrover im Scheinwerferlicht aufflog, stieß er einen überraschten Schrei aus.

Kurz darauf holperte der Landrover krachend über einen spitzen Felsen, und ein Reifen platzte. Fluchend kletterte Angus Russell aus dem Wagen. Die anderen folgten ihm fröstelnd in die kalte Nacht hinaus und begutachteten den Schaden. Dann holte der alte Fotograf einen Wagenheber und den Ersatzreifen hervor.

»Wie weit ist es noch?« erkundigte sich Thane und half ihm, das Rad zu wechseln.

»Von hier? Ungefähr noch $1^1/_2$ Kilometer.« Russell deutete auf die schwarze Silhouette eines langen Höhenrückens. »Das ist der Cailleach. Die Jagdhütte liegt auf der anderen Seite.«

Schließlich hatten sie den Reifen gewechselt. Russell warf den geplatzten in den Landrover. Sie wollten gerade wieder einsteigen, als Francey Dunbar Thane am Arm zurückhielt.

»Sehen Sie mal dort drüben«, flüsterte er leise und deutete zu dem Hügel hinüber.

Vom Cailleach Hill her kam langsam ein Lichtschein auf sie zu. Er war noch weit entfernt, wurde jedoch stetig stärker. Während die anderen wie gebannt auf den hellen Punkt starrten, rief Thane Russell zu sich.

»Könnte noch jemand diesen Weg benutzen?« fragte Thane.

Russell schüttelte mit verkniffenem Mund den Kopf.

»Sie laufen uns geradewegs in die Arme«, bemerkte Francey Dunbar erwartungsvoll. Dann wandte er sich an Thane. »Wie sollen wir sie empfangen?«

»Hm.« Thanes Blick schweifte über die karge Felslandschaft und blieb an einem großen Felsbrocken hängen, an dem sie vorbeigefahren waren, kurz bevor der Reifen geplatzt war. »Sie werden jedenfalls überrascht sein«, versprach Thane.

Es blieben ihnen nur wenige Minuten Zeit. Nachdem sie die Scheinwerfer des Landrovers ausgeschaltet hatten, machten sie sich an die Arbeit. Russell fuhr mit Thanes Hilfe den Landrover ein Stück zurück und hinter den großen Felsbrocken, wo er mit laufendem Motor stehenblieb. Dann postierten sich Thane,

Dunbar und Felix auf der anderen Seite des Weges hinter einem Busch, und Sandra Craig kletterte auf den Felsen, von wo aus sie den Weg und das Gelände gut überblicken konnte. Sie hatte eine starke Taschenlampe bei sich.

Thane stellte sich mit dem Rücken zum Felsblock, warf noch kurz einen Blick auf Russell, der gespannt hinter dem Steuer des Landrovers kauerte, zog dann seine Pistole aus der Tasche, entsicherte sie und legte sie auf den Stein neben sich.

Die Scheinwerferkegel kamen immer näher, und sie hörten inzwischen längst das Motorengeräusch eines anderen Landrovers. Dann schwenkten die Lichtkegel des Geländewagens auf den schmalen Weg ein, und fast im selben Augenblick gab Sandra Craig auf dem Felsen Russell das verabredete Lichtzeichen.

Der Motor von Russells Landrover heulte auf. Sandra Craigs Taschenlampe blinkte zum zweiten Mal auf, und Thanes Muskeln spannten sich. Im nächsten Moment war der fremde Landrover plötzlich vor ihm. Er sah die Dachplane deutlich vor sich, dann flammten die Scheinwerfer von Russells Wagen auf.

Metall prallte knirschend auf Metall. Beide Landrovers standen sich ineinanderverkeilt gegenüber.

Die Pistole in der Hand, sprang Thane auf die Tür zum Beifahrersitz zu und registrierte im Unterbewußtsein, daß Felix und Dunbar dasselbe auf der anderen Seite unternahmen. Er riß die Tür auf, sah für den Bruchteil einer Sekunde in Joan Hartons entsetzensweit aufgerissene Augen, dann packte er die Frau am Arm und zerrte sie aus dem Wagen.

Schreie, der dumpfe Aufprall eines schweren Körpers und ein Warnruf hallten durch die Nacht. Thane warf Joan Harton gegen den Wagen und wirbelte gerade noch rechtzeitig herum, um eine Gestalt hinter dem Heck des Landrovers hervorschießen zu sehen. Thane erkannte Shug MacLean sofort. Francey Dunbar war ihm dicht auf den Fersen. Dann sprang plötzlich eine zierliche Gestalt vom Felsen, versperrte MacLean den Weg und setzte ihn mit einem geschickten Judowurf außer Gefecht. Shug MacLean lag benommen am Boden, und Sandra Craig rieb sich lächelnd die Hände, als Francey Dunbar keuchend vor ihr stehenblieb.

Angus Russell kletterte aus seinem Geländewagen, schob Thane unsanft zur Seite und starrte wütend auf Joan Harton. Russell holte zum Schlag aus, doch Thane kam ihm zuvor.

»Ich übernehme sie«, sagte in diesem Moment Sandra Craig, zog die zitternde Joan Harton zur Seite und tastete sie schnell und geschickt nach Waffen ab. Thane atmete auf und ließ Russell los.

»Wo ist Felix?« fragte Thane dann und sah sich besorgt um.

»Hier!« antwortete eine klägliche Stimme. Felix kam mit schmerzverzerrtem Gesicht um den Wagen herum. Er hielt sich die linke Schulter. »Dieser Kerl hat mich fast mit der Autotür erschlagen«, sagte Felix und deutete auf Shug MacLean, den Dunbar eben nach Waffen durchsucht hatte. »Hinter seinem Sitz lag ein Schrotgewehr.«

»Halten Sie mal still.« Angus Russell tastete vorsichtig Felix' Schulter ab und nickte dann ernst. »Das Schlüsselbein ist gebrochen. Ich kann die Bruchstelle notdürftig schienen.« Russells Blick schweifte zu Thane. »Tja, Superintendent, Sie haben zwar die beiden hier, aber...«

»Ich weiß«, unterbrach Thane ihn. »Verbinden Sie Felix. Ich werde mich inzwischen mal mit den beiden unterhalten.«

Thane gab Sandra Craig ein Zeichen, Joan Harton zu ihm zu bringen. Garretts Komplicin schien sich erst langsam von ihrem Schock zu erholen. Thane musterte sie kalt.

»Wie soll ich Sie nennen?« begann Thane. »Marion Cooper oder Joan Harton?« Er sah, wie sie zusammenzuckte. »Francey, Sie durchsuchen den Landrover!« wies er kurz den Sergeant an. »Sie wissen ja, wonach wir suchen.«

Dunbar nickte und verschwand.

»Okay, Miss Harton. Ich will keine Zeit verschwenden. Wo sind Garrett und Stanson?«

Joan Harton fuhr sich mit der Zunge über die trockenen Lippen. Shug MacLean ließ sich aus dem Hintergrund vernehmen.

»Halt den Mund!« befahl er ihr. »Diese Idioten können dir gar nichts anhaben.« Er trug bereits Handschellen, kam mühsam auf die Beine und starrte Thane herausfordernd an. »Ich kenne einen verdammt guten Anwalt.«

»Den werden Sie auch brauchen«, konterte Thane gefährlich leise und trat einen Schritt auf den Brennmeister zu. »Im übrigen befindet sich Angus Russell in unserer Begleitung. Er weiß, daß sein Sohn tot ist.« Als sich MacLeans Augen vor Entsetzen weiteten, nickte Thane. »Benodet hat ihn im Kofferraum seines Wagens spazierengefahren! Wußten Sie das denn nicht?«

»Nein, wir…« Shug MacLean schluckte.

»Habt ihr's nicht gewußt, oder ist es euch egal gewesen?« fragte Thane verächtlich. »Was habt ihr hinterher getan? Gefeiert? Vielleicht sollte ich Sie mal ein wenig mit Angus Russell allein lassen.«

»Nein!« Shug MacLean stand die nackte Angst ins Gesicht geschrieben. »Sie bluffen«, brachte er schließlich heraus. »Sie konnten gar nicht…«

»Haben Sie eine Ahnung, was ich alles kann«, unterbrach Thane ihn scharf. »Wir haben gesehen, wie Stanson Benodet an der Kreuzung abgeholt hat. Wir haben ihn beschattet.« Thane drehte sich zu Joan Harton um. »Und wir sind auch dabeigewesen, als das Treffen in Aviemore verabredet wurde.«

In diesem Augenblick kletterte Dunbar aus dem Geländewagen und stellte eine abgegriffene Reisetasche vor Thane auf die Erde.

»Hier, das habe ich unter den Vordersitzen gefunden.«

Thane machte die Tasche auf. Sie enthielt vier prall gefüllte Plastiksäcke. Er öffnete einen Sack, roch an dem weißen Pulver und blickte auf.

»Nun, was haben wir denn da? Reines Amphetamin… mindestens zwei Kilo. Was wolltet ihr denn damit? Den Bus bezahlen?«

»Nein, verschwinden«, knurrte Shug MacLean widerwillig.

»Sie… mit ihm?« Thane sah erstaunt von Joan Harton zu MacLean.

»Nur bis zum nächsten Flugplatz«, antwortete Joan Harton resigniert.

»Aha, und da sollte die Ware vermutlich geteilt werden.« Thane wog die Tasche nachdenklich in der Hand. »Aber das sind, wie gesagt, nur zwei Kilo. Wo ist der Rest?«

Sie zuckte mit den Schultern. »Wir haben die letzte Produktion heute nacht geteilt, nachdem...«

»Nachdem Benodet und seine Komplicen tot waren?«

MacLean fluchte unterdrückt und trat einen Schritt vor.

»Hören Sie, das ist Pete Stansons Idee gewesen. Wir haben damit nichts zu tun, Mister. Stanson hat die Sache mit der Brücke vorgeschlagen, und Garrett hat die Idee gefallen. Wir wußten, daß Sean möglicherweise im Jaguar war, aber das war sein Pech. Das hat Garrett wenigstens gesagt.«

»Wir mußten Benodet schließlich irgendwie loswerden«, meldete sich Joan Harton zu Wort. »Er wollte das Geschäft allein machen. Wir sollten nur die Handlanger spielen, die ihm das Zeug zu Spottpreisen...« Sie verstummte.

In diesem Moment kamen Felix und Angus Russell zurück. Felix' linke Schulter war sorgfältig bandagiert.

MacLean starrte wie hypnotisiert auf Angus Russell. Schließlich räusperte er sich.

»Okay, ihr wollt also Garrett und Stanson, stimmt's? Wir haben sie in der Jagdhütte zurückgelassen, weil die beiden ihre eigenen Pläne haben. Und vergessen Sie später nicht, daß ich Ihnen geholfen habe, Superintendent. Passen Sie auf Stanson auf. Der Kerl ist total verrückt.«

Thane ging nicht weiter darauf ein, sondern wandte sich an Felix.

»Kann ich Sie hier mit den beiden allein lassen?«

Joe Felix nickte mit düsterer Miene.

»Rufen Sie über Funk Sergeant Henderson an und erzählen Sie ihm, was passiert ist. Henderson dürfte mittlerweile wieder in Aviemore sein.« Thanes Blick schweifte zu Angus Russell. Er zögerte. »Also gut. Ich kann dringend einen Fahrer gebrauchen,

Mr. Russell... aber nur, wenn Sie mir sonst keine Schwierigkeiten machen.«

Der kauzige, alte Mann nickte mit unbewegter Miene.

Fünf Minuten später waren sie auf dem Weg zum Jagdhaus am Cailleach Hill. Sie hatten MacLeans Landrover genommen, da Russells Geländewagen beim Zusammenstoß schwer beschädigt worden war.

»Bis zur Jagdhütte sind es also noch eineinhalb Kilometer, haben Sie gesagt«, wandte Thane sich an Russell.

Russell nickte und starrte angestrengt auf den Weg. MacLeans Landrover hatte nur noch einen intakten Scheinwerfer und die Stoßstange war verbogen. Thane beobachtete, wie das Licht über den Bergen bläulich wurde. Der Morgen begann zu dämmern, und Thanes Entschluß stand fest.

»Wir werden anhalten, sobald wir von der Jagdhütte aus gesehen werden könnten«, sagte Thane zu Russell. »Kennen Sie eine günstige Stelle?«

»Ja.« Russell warf Thane einen neugierigen Seitenblick zu, stellte jedoch keine Fragen.

Der Cailleach Hill kam langsam näher. Dann brummte Russell plötzlich irgend etwas Unverständliches vor sich hin, schaltete in den Leergang und trat auf die Bremse.

»Von hier aus können wir's versuchen«, erklärte Russell und deutete auf eine steile Anhöhe dicht vor ihnen.

Thane gab den anderen ein Zeichen, auszusteigen. Sie folgten Russell den Hang hinauf und standen plötzlich auf einem schmalen Grat. Vor ihnen fiel das Gelände sanft zu einer Senke ab, in der ein kleines Haus stand. Hinter einem der Fenster brannte Licht.

»Sie sind noch da«, stieß Russell hervor, und er packte Thane am Arm. »Was machen wir jetzt?«

»Sie bleiben im Landrover... so war's abgemacht«, entgegnete Thane in einem Ton, der keine Widerrede duldete. »Aber keine Angst, Sie müssen nicht tatenlos zusehen. Ich gehe jetzt mit

Francey zu Fuß zum Haus hinunter. Lassen Sie uns zwanzig Minuten Vorsprung, dann fahren sie mit dem Landrover so schnell wie möglich auf dem Weg zum Haus hinunter.«

Russell sah Thane erstaunt an, dann schien er zu begreifen. »Hm, sie sollen also glauben, daß MacLean zurückkommt«, sagte er nachdenklich. »Und das macht sie natürlich neugierig.«

»Richtig... und darauf warte ich«, murmelte Thane. »Sie können so viel Krach machen, wie Sie wollen.«

»Und was ist mit mir?« fragte Sandra Craig.

»Sie fahren mit Russell«, entschied Thane. »Für alle Fälle.«

»Warum?« antwortete sie ärgerlich.

Francey Dunbar grinste schadenfroh. »Weil er der Boss ist, Süße. Tu, was dir der nette Superintendent sagt.«

»Hoffentlich brichst du dir das Genick«, wünschte Sandra Craig ihm wütend und ging dann achselzuckend mit Russell davon.

Thane und Dunbar brauchten gut zehn der verabredeten zwanzig Minuten, um das Geröllfeld hinunterzuklettern. Fluchend und schwitzend stolperten sie über Steine und Wurzeln und hatten bald an beiden Händen tiefe Schürfwunden.

Dann sprang plötzlich vor ihnen ein Schneehase auf und rannte davon. Vor Schreck wich Francey Dunbar zur Seite, landete plätschernd in einer moorigen Vertiefung. Als er sich schnaubend und fluchend wieder herausarbeitete, blieb er prompt an einer Wurzel hängen und fiel der Länge nach hin.

»Hören Sie mit diesen Clownereien auf«, zischte Thane wütend. »Heben Sie sich diese Scherze für Ihre Gewerkschaftstreffen auf.«

Dunbar folgte ihm zerknirscht das letzte Stück des Abhangs hinunter. Dort kauerten sie sich hinter einem großen Ginsterbusch nieder und betrachteten das Jagdhaus genauer. Es lag ungefähr hundert Meter vom Weg entfernt, hatte dicke Steinmauern und ein Schieferdach. Der Weg führte an der Seite vorbei, wo sich auch die Eingangstür befand.

Dann, als sie geduckt näherschlichen, prägten sie sich jedes

Detail ein. Das erleuchtete Fenster, das sie bereits von oben gesehen hatten, lag auf der Vorderseite des Hauses, doch es brannte auch hinter einem Fenster auf der Rückseite Licht. Dort gab es ebenfalls eine Hintertür, und aus einem anliegenden Schuppen kam das sanfte Surren eines Stromaggregats.

Sie wollten gerade wieder zu ihrem Ausgangspunkt zurückgehen, als Dunbar Thanes Arm berührte und wortlos auf ein Motorrad deutete, das neben dem Eingang an der Hauswand lehnte. Die Tatsache, daß Stanson auch noch da war, bereitete Thane eine grimmige Genugtuung.

»Noch drei Minuten«, flüsterte Dunbar mit vor Spannung heiserer Stimme. »Sandra kaut sicher schon Fingernägel.«

Thane nickte und dachte an Angus Russell, während er seine Pistole aus der Tasche zog und entsicherte.

»Ich bleibe an der Haustür. Sie bewachen den Hinterausgang«, erklärte er Dunbar. »Falls sie Lunte riechen und durch die Hintertür entwischen wollen, wenn der Landrover kommt, wissen Sie, was Sie zu tun haben. Wenn Sie aber meinen Ruf hören, dann machen Sie, daß Sie so schnell wie möglich durch die Hintertür ins Haus kommen, verstanden?«

»Natürlich, ich verschwende keine Zeit mit Anklopfen«, versprach Dunbar.

»Noch was, Francey.« Thane hielt Dunbar kurz zurück. »Spielen Sie bloß nicht den Helden!«

Dunbar schüttelte den Kopf und schlich davon.

Minuten später kauerte Thane hinter einem Erd- und Steinhaufen nieder, der ungefähr sechs Meter von der Haustür entfernt rechts neben dem Gartenweg lag.

Es vergingen noch gut fünf Minuten, bis plötzlich das Motorengeräusch des Landrovers ertönte, und kurz darauf tauchte der Geländewagen bereits auf dem Grat auf. Zuerst war es nur eine dunkle, gefährlich hin- und herschaukelnde Masse mit einem einzelnen Scheinwerfer. Doch Russell fuhr schnell... schneller, als Thane erwartet hatte.

Der Vorhang hinter dem Fenster auf der Vorderfront wurde

ein Stück zurückgeschoben, und zwei Gesichter tauchten auf. Wie auf Kommando ertönte in diesem Moment die heisere Hupe des Landrovers zweimal, und der Vorhang fiel wieder zu.

Dann flog die Haustür auf, und im hellerleuchteten Türrahmen tauchten zwei dunkle Gestalten auf. Pete Stanson trat einen Schritt weit heraus und blickte dem Landrover entgegen, eine Pistole schußbereit in der rechten Hand. Die laute Hupe des Geländewagens ertönte erneut.

Thane kam langsam aus seiner Deckung, die Webley auf Stanson gerichtet... und im selben Augenblick drehte sich Stanson um, sah Thane, schrie dem Mann, der noch immer, halb verdeckt vom Türrahmen, wartete, eine Warnung zu, und schoß zweimal. Die Kugeln schlugen so dicht neben Thane in den Boden, daß Steinsplitter um ihn herumspritzten.

Thane packte die Webley mit beiden Händen und spürte den starken Rückstoß, als er abdrückte. Dann warf er sich blitzschnell zu Boden und fluchte. Der Mann im Türrahmen hatte präzise auf ihn gezielt und ihn nur um Haaresbreite verfehlt. Thane hob erneut die Waffe, schoß blind auf die Gestalt in der Haustür und schrie erschrocken auf, als die nächste Kugel aus Garretts Waffe an seinem Kopf vorbeiflog. Er rollte sich ab in eine neue Position und sah, wie Stanson zu seinem Motorrad rannte.

Daraufhin schoß Thane erneut, verfehlte aber knapp sein Ziel und traf statt dessen den Tank des Motorrads, aus dem ein Strahl Benzin schoß. Aus den Augenwinkeln sah Thane, wie sich die Gestalt im Türrahmen plötzlich zurückzog, dann heulte der Motor des Geländemotorrads auf. Thane hob wieder die Waffe und drückte ab, doch die Kugel verfehlte den tief über die Lenkstange gebeugten Stanson abermals. Aus dem Hausinneren drang dumpfes Krachen. Ein Schrei ertönte, aber Thanes Aufmerksamkeit galt Stanson. Und plötzlich war der Landrover da.

Stanson sah ihn fast gleichzeitig, als er Gas gab. Er versuchte noch auszuweichen, doch es war zu spät. Er wurde mitsamt seinem Motorrad durch die Luft geschleudert. Dann schlug er hart auf den Boden auf, und im nächsten Moment rollte der schwere Geländewagen über ihn hinweg.

Thane hatte sich kaum von dem Schock erholt, als Schritte auf der Veranda vor der Haustür laut wurden. Er wirbelte mit schußbereiter Pistole herum und ließ die Waffe sinken, als er Francey Dunbar erkannte. Der junge Sergeant war leichenblaß.

»Garrett? Was ist mit Garrett?« fragte Thane heiser.

»Er ist drinnen.« Dunbar fuhr sich mit der Zunge über die trockenen Lippen. »Und dort bleibt er vorerst auch.«

Sie rannten zu dem Motorrad und erreichten es kurz vor Sandra Craig. Stanson war tot. Sandra Craig wandte sich ab, ging zum Landrover und kam mit einem alten Mantel zurück. Angus Russell nahm ihn ihr aus der Hand und legte ihn über Kopf und Schulter des Toten. Seine Miene drückte weder Triumph noch Genugtuung, sondern nur Trauer und Bitterkeit aus.

»Wir warten beim Wagen«, murmelte er schließlich, nahm Sandras Arm und führte sie fort.

»Sir... ich...« Dunbar kaute verlegen an seinem Schnurrbart. »Himmel, ich habe Sie im Stich gelassen, Sir. Diese verdammte Hintertür hat mich ganz schön aufgehalten.«

»Vergessen Sie's. Ich wußte ja, daß Sie dort waren.« Thane brachte ein schiefes Grinsen zustande. »Was ist mit Garrett?«

»Ich glaube nicht, daß er's überlebt.« Dunbar schüttelte den Kopf. »Er hat eine Kugel in der Brust. Ich habe ihn schon verwundet vorgefunden, als ich endlich ins Haus kam.«

Thane und Dunbar gingen zusammen in die Jagdhütte, und Thane sog scharf den süß-sauren Gestank halbfertigen Amphetamins ein. Hinter einer halboffenen Tür am Ende des schmalen Flurs befand sich ein kleines Labor. Dunbar deutete auf eine andere Tür. Durch diese betraten sie das Wohnzimmer. Dort lag, gegen einen Rucksack gelehnt, Robin Garrett.

»Ich habe ihm seine Waffe abgenommen«, sagte Dunbar leise.

Thane nickte. »Sehen Sie sich mal ein bißchen hier um.«

Dann beugte er sich über Garrett, der ihm ein blasses, eingefallenes Gesicht zuwandte. In der Herzgegend bildete sich auf seinem hellen Pullover ein großer, roter Fleck. Thane registrierte flüchtig, daß Garrett Breeches und hohe Bergstiefel trug.

»Na, machen Sie reinen Tisch?« frage der Todwunde mit einer heiseren, unbeteiligt klingenden Stimme. »Was ist mit Stanson?«

»Er ist tot«, antwortete Thane. »Und wir haben auch MacLean und Joan Harton.«

Garrett zog eine Grimasse und unterdrückte ein Husten. Kleine Blutbläschen traten auf seine Lippen.

»Sie haben meine Lunge durchlöchert«, sagte er mühsam. »Mir soll's recht sein. Immer noch besser tot, als in einer Gefängniszelle zu vermodern. Aber wir hätten's beinahe geschafft, was?« Ein seltsames Leuchten trat in seine Augen. Er hustete. »Sie wissen, warum ich das alles getan habe?«

Thane nickte. »Ihre Frau.«

»Nein.« Garrett schüttelte den Kopf. »Wir sind beide gleichermaßen schuldig. Margaret und ich… Wir haben uns gegenseitig zermürbt…, fertiggemacht.« Er fuhr sich mit der Zunge über die Lippen. »Also bin ich auf die Idee gekommen, Amphetamin sei leicht herzustellen.«

»Ja, das hat man mir auch gesagt«, murmelte Thane.

»Das Syndikat in Kopenhagen hätte eine Million Pfund… eine Million gezahlt.« Garrett richtete sich mühsam ein Stück auf. »Aber dann ist Pender ums Leben gekommen… und danach hat Stanson, dieser Wahnsinnige, versucht, Sie mit dem Wagen zu überfahren. Das hat Sie auf unsere Spur gebracht, stimmt's?«

Thane schüttelte den Kopf. »Nein… schon viel früher. Aber wir hatten bis dahin praktisch nur Vermutungen. Wie sind Sie eigentlich zu Ihrem Team gekommen?«

»Ganz einfach… Ich habe sie gefragt, ob sie mitmachen wollen«, antwortete Garrett. »MacLean war der erste. Ich habe ihn nämlich beim Stehlen in der Firma erwischt. Dann kam der junge Russell. Ich wußte, daß er Chemie studiert hatte. Russell hat Stanson mitgebracht. Beide wollten Geld.«

»Und Joan Harton?«

»Joan?« Ein zynisches Lächeln umspielte seine Lippen. »Joan

habe ich in London kennengelernt. Sie hatte sehr nützliche Beziehungen... und natürlich auch andere Vorzüge.« Er schnitt eine Grimasse. »Aber als wir es fast geschafft hatten, ging plötzlich alles schief.«

»Vor allem vermutlich wegen Benodet. Interessiert es Sie eigentlich gar nicht, was aus Sean Russell geworden ist?«

»Er ist vermutlich tot.« Garrett schloß für einen Moment die Augen, als Thane nickte. »Wenn dieses Schwein Benodet nicht versucht hätte, uns auszubooten... Wenn er nicht hierhergekommen wäre, nachdem Stanson seinen Mann in Glasgow erschossen hatte...« Garrett bekam einen Hustenanfall. Sein Atem ging immer schneller und keuchender.

Thane wischte ihm mit einem Taschentuch das Blut vom Mund.

»Danke«, murmelte Garrett. »Sie sind leider eine halbe Stunde zu früh gekommen, Superintendent.«

»Wären Sie dann fort gewesen?«

Garrett nickte. »Hier, sehen Sie den Rucksack? Da steckt die Hälfte unserer letzten Produktion drin... Sobald es hell genug gewesen wäre, hätte ich sie zu Fuß über die Berge nach Braemar gebracht.«

Garrett brachte ein Lächeln zustande. »Hätten Sie daran gedacht, daß ich dort sein könnte?«

»Ich vielleicht nicht, aber wahrscheinlich wäre ein anderer daraufgekommen.« Thane ahnte, daß es mit Garrett zu Ende ging, und er beugte sich tiefer über ihn »Aber wo ist der Rest, Garrett?«

»Natürlich auch in Braemar. Eine Frau in einer Pension bewahrt dort einen großen Koffer für mich auf. Sie hält mich für einen Bergsteiger, der immer Kleidung zum Wechseln nötig hat.« Garretts Atem ging nur noch röchelnd. »Ich würd's wieder machen«, brachte er mühsam hervor. »Für eine Million und um ein freier Mann zu sein. Was... was sagen Sie dazu, Thane?«

»Haben Sie je einen Süchtigen gesehen?« fragte Thane ruhig.

Thane wartete vergebens auf eine Antwort. Garrett hatte die

Augen geschlossen. Sein Kopf fiel zur Seite, und das Röcheln verstummte.

Eine Stunde später trafen mehrere Streifenwagen der Northern Constabulary vor der Jagdhütte ein. Sie brachten auch Felix, MacLean und Joan Harton mit.

Sergeant Henderson überblickte die Szene sofort und bot Thane eine Zigarette an. »Hier scheint's ja ganz schön zugegangen zu sein«, murmelte er. Als Thane gierig an seiner Zigarette zog, fügte der Sergeant hinzu: »Die Toten aus dem Jaguar sind vom Polizeiarzt untersucht worden. Sean Russell ist nicht ertrunken. Es sieht so aus, als sei er schon Stunden, bevor der Wagen in den Fluß gestürzt ist, tot gewesen.«

»Ist das sicher?« fragte Thane.

»Der endgültige Obduktionsbericht liegt natürlich noch nicht vor, aber ich kenne den Arzt, er ist zuverlässig. Russell muß mit einem schweren Gegenstand niedergeschlagen worden sein. Er hatte einen Schädelbruch. Benodet hat also geblufft.« Henderson machte eine Pause. »Ich dachte, es würde Sie interessieren«, fügte er dann hinzu.

»Ja.« Thane holte tief Luft. Er hatte das Gefühl, als sei er aus einem Alptraum erwacht. »Danke.«

Er ging vor die Tür. Draußen dämmerte der Morgen, und es goß in Strömen. Ihm war das gleichgültig.

Erst zwei Tage später, gegen zwölf Uhr mittags, konnte Thane Aviemore verlassen. Bis dahin hatte er noch viel zu tun gehabt.

Margaret Garrett war aus Edinburgh zurückgekommen und hatte sich leichenblaß die Geschichte angehört, die Thane ihr zu erzählen hatte. Als sie sich verabschiedete, rannen ihr die Tränen übers Gesicht. Joan Harton und MacLean saßen bereits in Untersuchungshaft. Das restliche Amphetamin hatte man in einer Pension in Braemar sichergestellt.

Zwischendurch hatte Thane zweimal zu Hause angerufen, und kurz vor Antritt der Rückreise wählte er die Nummer des West-Krankenhauses in Glasgow.

»Na, hast du den Fall abgeschlossen?« erkundigte sich Phil Moss am anderen Ende.

»Ja, einigermaßen. Wie geht es dir?«

»Gut, danke«, antwortete Moss. »Hast du... hast du von der Sache mit dem Geldtransport gehört?«

»Ja«, antwortete Thane lebhaft und mußte unwillkürlich lächeln.

»Buddha Ilford hat mich übrigens besucht«, berichtete Moss. »Wenn ich hier rauskomme, habe ich einen neuen Job im Hauptquartier.«

»Was für einen?« Thane war gespannt, was Moss jetzt sagen würde.

»Hm, Ilford braucht einen Verbindungsmann zu den einzelnen Polizeitruppen. Jemand, der ihn ständig auf dem laufenden hält.« Moss räusperte sich. »Ich... hm... ich kann's ja mal versuchen.«

»Dann gebe ich dir einen guten Tip«, erklärte Thane ernst. »Buddha Ilford mag seinen Kaffee schwach... und mit zwei Stück Zucker.«

»Scher dich zum Teufel!« entgegnete Moss halbwegs wütend und legte auf.

Thane verließ das Polizeirevier von Aviemore in bester Laune. Draußen war es warm, und die Sonne schien. Er hatte sich bereits von Sergeant Henderson verabschiedet, und vor dem Polizeirevier warteten die beiden Wagen des S.C.S. Francey Dunbar stand gegen den Ford gelehnt, während Joe Felix, der den linken Arm in der Schlinge trug, sich angeregt mit Sandra Craig unterhielt.

»Es ist Zeit, daß wir endlich wieder heimfahren«, seufzte Thane. Dann runzelte er die Stirn. »Halt... Vorher müssen wir noch was erledigen.«

»Sir?« Francey Dunbar sah ihn erstaunt an. »Wir haben doch schon alles erledigt... Sogar unsere Überstunden haben wir eingetragen. Stimmt's?«

Die anderen nickten.

»Trotzdem müssen wir jetzt noch eine Forellenzucht finden.«

»Eine was?« erkundigte sich Dunbar verblüfft.

»Eine Forellenzucht«, wiederholte Thane grinsend. »Meine Frau möchte Forellen, und Maggie Fyffe wünscht sich auch Forellen. Verstanden?«

»Forellen«, seufzte Dunbar.

»Das sind Fische«, bemerkte Felix.

»Können wir sie schon fertiggebraten kaufen?« fragte Sandra Craig und sah die anderen erwartungsvoll an. »Warum denn nicht? Ich habe Hunger!«

Damit stiegen sie ein und führen davon.